CONTIGO

AL

AMANECER

Enza Scalici

Contigo al Amanecer

Enza Scalici

Published by The Little French eBooks

Art Cover by The Little French eBooks

Copyright 2023- Enza Scalici

PRIMERA PARTE:

CHIQUI

CAPÍTULO I

Alan Morris Logan se dejó caer en el asiento y comprendió de pronto lo agotado que estaba. Los últimos dos meses habían sido un torbellino de conferencias, clases, operaciones dificilísimas frente a un auditorio atento, invitaciones a reuniones y eventos, cenas... Todo muy satisfactorio, pero que se estaba cobrando su precio, pues en aquel momento el joven se sentía incapaz hasta de levantar una mano para alejar un zancudo que quisiera picarlo. A Dios gracias no se presentaría el caso, pues en el aséptico corredor del Hospital de la Pitié-Salpêtrière, en Paris, la presencia de un zancudo hubiera sido considerada como un sacrilegio, tan estrictas eran las normas de higiene. A pesar de que aquel espacio servía como sala de espera de los consultorios del área oftalmológica y contenía una considerable cantidad de sillas de metal alineadas en las paredes, en aquel momento no había un alma a la vista, tal vez porque era sábado. El joven se alegró de poder descansar unos minutos en silencio. Entonces se acordó de su teléfono móvil. Siempre lo apagaba antes de entrar en un quirófano, y ahora se apresuró a encenderlo. Constató aliviado que no había ninguna llamada perdida, lo que hubiera evidenciado una posible emergencia. Mientras revisaba de prisa los mensajes de texto, centrándose solo en lo de importancia, captó con el rabillo del ojo un movimiento a su izquierda, al final del pasillo. Giró un momento la cabeza y miró distraídamente a la mujer que se acercaba. No distinguió su cara, pues aparte del gorro de lana calado hasta la frente ella cargaba una brazada de libros que apretaba contra su pecho, medio cubiertos por la larga bufanda que colgaba de su cuello, golpeándole en la pierna.

"Puede enredarse   y caerse" pensó distraído regresando a sus mensajes. Pocos segundos después un grito ahogado y algo que golpeaba duramente su cabeza y sus hombros lo sacaron de su ensimismamiento.

—¡Pero qué diablos...!

Saltó de la silla.

Sí, la desconocida evidentemente había terminado enredándose en su bufanda, pues estaba de cuatro patas en el piso y los libros desparramados por doquier, igual que el contenido de su bolso.

—Lo siento... ¡Oh, Dios! ¡Que desastre...!

Disculpe... Mis anteojos... ¿Dónde fueron a parar?

¡Discúlpeme por favor!

Alan suspiró.

—Señora espere, deje que la ayude...

Lejos de escucharlo, ella siguió de rodillas manoteando el suelo, tropezando con los libros y casi ahogándose con la dichosa chalina, ya que ahora la tenía pisada bajo las rodillas. Una maraña de ensortijados cabellos castaño-rojizos, libres del gorro que había ido a parar sabría Dios a dónde caía sobre su cara, entorpeciendo aún más su búsqueda.

Él puso los ojos en blanco.

—Señora escuche, si se queda un momento quieta quizás...

—Me enredé con la bufanda... ¿Dónde fue a parar mi teléfono? ¿Le hice mucho daño, señor? No sé cómo disculparme... Esta muchacha podía haberme acomodado los libros... Meterlos en una bolsa, quizás...

Alan la miraba con los brazos en jarras, entre exasperado y divertido, y en vista de que ella parecía no escucharlo y se enredaba a cada momento más en aquel desastre de libros, pañuelos de papel, libretas y otro centenar de objetos salidos de su bolso, soltó el teléfono, se agachó, la tomó por las axilas y sin esfuerzo la levantó y la sentó en una de las sillas.

Ella, enmudecida de pronto, alzó la cabeza y los bucles se apartaron a los lados, revelando un rostro ovalado y perfecto, y unos ojos de un sorprendente color ámbar, radiantes como oro bruñido, que destacaban fuertemente contra la piel diáfana de sus mejillas. No era ninguna señora, sino una jovencita, casi una niña, que observaba fijamente el rostro masculino casi pegado al suyo.

Durante unos segundos se quedaron quietos, frente a frente, a pocos centímetros de distancia. Ella pensó inopinadamente que un hombre no tenía derecho a poseer unas pestañas tan largas y tupidas, que enmarcaban aquellos hermosos ojos azul oscuro. Luego descubrió la nariz patricia, la mandíbula fuerte sombreada por una incipiente barba, oscura como su cabello y los diente blancos y parejos que asomaban de sus labios entreabiertos.

Ambos tomaron conciencia de que se estaban mirando fijamente. Ella parpadeó seguido, como queriendo aclarar su visión, lo que llamó aún más la atención sobre sus ojos.

—Que bochorno...—murmuró bajito— ¿Te golpeé duro?

Lo tuteó con la naturalidad que tienen los jóvenes al dirigirse a sus pares, aunque se le notaba en la voz la incomodidad que la embargaba.

—Tranquila —Alan se enderezó—, no me moriré de esto. Te buscaré los anteojos...

—¿Qué anteojos? Ah sí, los míos... por favor. Ya me ocupo de este estropicio.

Él se agachó y descubrió los lentes debajo de una de las sillas, al otro lado del pasillo y se los entregó.

—Mejor te ocupas de acomodar adecuadamente esta bufanda — le dijo entregándole la prenda en cuestión. Había cierto regocijo en su voz, cosa que la mortificó aún más—. Yo recogeré tus cosas.

Se agachó y comenzó a recoger todos aquellos objetos dispersos, y en aquel momento alguien llegó hasta ellos, a paso vivo.

—¡Doctor Morris! —Exclamó el que fuera, deteniéndose de golpe— ¿Qué sucedió?

Alan alzó la mirada y descubrió a un joven con uniforme de enfermero que lo observaba sorprendido. Lo recordaba vagamente, pero estaba claro que el otro sí lo reconocía a él.

—Nada grave, no te preocupes —contestó deseoso de recordar su nombre, pues no le gustaba mostrarse distante con el personal hospitalario.

—Ando apurado pero lo ayu... ¡Chiqui! —Exclamó el enfermero reconociendo a la muchacha sentada— ¿Estas cosas son tuyas? ¿Estás bien, qué te pasó, preciosa?

Apoyó las manos en las rodillas de la joven, mirándola con preocupación.

—Estoy bien Jaques —contestó ella—. Se me descolgó la bufanda, me enredé en ella y perdí el equilibrio. A mí no me pasó nada, en cambio le lancé encima a él todo lo que cargaba... Qué bochorno —terminó apenada, indicando a Alan.

Jaques lo miró interrogante, pero él sonrió negando con la cabeza, admitiendo así que tampoco había sufrido ningún daño.

—No me pasó nada. Hay que añadir —dijo jocosamente— que esta brazada de libros que cargabas de cualquier manera no te dejaba ver.

—Se los había prestado a una amiga secretaria —explicó mortificada.

—¿Y la muy tonta no podía habértelos entregado en una bolsa? —inquirió el enfermero introduciendo de prisa en el bolso los artículos esparramados, mientras Alan se ocupaba de recuperar los libros. Seis tomos de considerable tamaño.

—No tenía, parece.

— Ya...—Jaques se puso de pie y le entregó el bolso, mientras Alan también se enderezaba y dejando los libros apilados sobre uno de los asientos le entregó a la muchacha el gorro de lana blanca.

—Muchas gracias a ambos —ella también se levantó.

—Por nada —contestaron al unísono, el enfermero mirando apurado el reloj.

—Estoy tres minutos retrasado para mi guardia... —constató frunciendo las cejas.

—Ve tranquilo, Jaques —le dijo Alan, contento por poder llamarlo por su nombre—. Ya todo está bajo control.

—No se me ocurre dónde conseguirle una bolsa en este momento, pero con esto puede hacerle un torniquete a los libros, doctor...

Introdujo la mano en el bolsillo de la bata y saco un par de ligas de goma largas, de las que sirven para apretar el brazo del paciente para buscarle la vena.

—Gracias por ayudar a mi amiga, doctor Morris ¡Adiós mi Chiqui!

Y dándole un rápido beso en la mejilla se fue corriendo, seguido por la voz de la muchacha:

—Adiós Jaques, gracias por preocuparte por mí.

—Así que Chiqui ¿Eh? —Inquirió Alan sonriendo, mientras unía las dos tiras elásticas— Hablas francés a la perfección, pero creía haber detectado un acento norteamericano subyacente. Nunca pensé que fueras española.

—Soy de origen español, pero nací y crecí en Seattle, doctor Morris.

—Alan—la interrumpió él mientras enlazaba diestramente los libros con el elástico.

—Alan— repitió ella después de dudar un segundo, mientras lo observaba fascinada. Era esbelto, pero trasudaba fortaleza. Más de metro ochenta de músculos y virilidad llevados con confianza, pero sin pizca de presunción, pues todos sus movimientos eran espontáneos y sin afectación. Era el sueño de cualquier artista, un pintor pagaría lo que fuera para poder inmortalizar los rasgos cincelados de su rostro, enmarcados por el ondulado cabello oscuro que le rozaba los hombros. Sabía que debía parecer una tonta mirándolo de aquella manera, así que buscó algo que decir, pero antes de que pudiera añadir algo más, se giró con rapidez y cubriéndose la nariz con la mano estornudó dos veces seguidas. Se apresuró a rebuscar en su bolso, pero toda la actividad anterior le dificultó encontrar en seguida el paquete de pañuelos de papel. Finalmente, mascullando algo entre dientes, pudo sacar uno y se limpió delicadamente la nariz.

—Parece que has pillado un resfriado —constató él.

Chiqui sonrió y sus ojos dorados brillaron como estrellas.

—París es maravillosa aun bajo este febrero lluvioso, pero hay que pagar un precio por la humedad —declaró risueña —. Adoro esta ciudad, pero en este momento desearía estar humm... ¿Bajo el cielo cálido de las Canarias, por ejemplo? En Las Palmas, el clima en esta época del año es delicioso. Debería pensarlo...— barbotó frunciendo los labios, pensativa. Se encasquetó el gorro de lana, escondiendo así parte de sus rizos, luego dio tres vueltas a la bufanda, hasta que las dos puntas colgaron prolijamente a la altura de su cintura. Finalmente enganchó el dedo en el nudo que Alan había formado con las puntas del elástico, después de sujetar firmemente los libros.

—Lamento las circunstancias, pero ha sido un placer conocerte, Alan.

Ahora que la tenía de pie a su lado, él se dio cuenta de que no era muy alta, llegaría, tal vez, al metro sesenta, y su estructura ósea se adivinaba fina y delicada bajo la ropa invernal. Parece un hada, pensó inopinadamente.

—No hay que lamentar nada, Chiqui. A mí también me gustó conocerte.

Antes de darse cuenta de lo que hacía, la besó en la mejilla.

Ella lo miró sorprendida. Levantó la mano y posó los dedos ahí, donde él la había besado.

Preguntándose por qué había hecho aquello, Alan carraspeó.

—Cuídate este resfriado —le dijo para cortar aquel momento de rara incomodidad.

—Lo haré, descuida —murmuró ella. Y se alejó sin mirar atrás, bamboleando su atajo de libros.

Él la siguió con la mirada hasta que desapareció en el recodo del pasillo. Hermosa de manera natural, pensó, sin afectaciones ni presunción. Luego, sin darse cuenta de que sonreía ligeramente, regresó a sus mensajes.

Nacido en Boston veintiocho años antes, Alan era considerado, a pesar de su juventud, y con toda razón, como el neurocirujano más brillante del momento. Desde que era un infante había dejado boquiabiertos a los que lo trataban. A los tres años leía de corrido y razonaba lo leído con la madurez de un adulto, por ello lo recibieron en una escuela de niños superdotados, donde destacó por encima de sus compañeros, todos ellos genios en potencia. Antes de cumplir   quince años terminó los estudios preparatorios, y las universidades más prestigiosas se apresuraron a aceptar su petición de ingreso. Él nunca dudó sobre su carrera futura, y el Massachusetts General Hospital le ofreció las oportunidades de estudio que buscaba. Después de recibirse como médico general, se enfocó en la neurología, luego se especializó como cirujano. Mientras   realizaba sus prácticas seguía estudiando sin pausa, asistía a cuantas intervenciones podía, observaba a sus maestros y realizaba guardias hasta caer agotado.

Todo, para aprender y aprender cada día más.

A los veintitrés años se sintió preparado para realizar su primera operación.

Cinco años después de aquello seguía dejando estupefactos a los observadores por la seguridad y la delicadeza con las que manejaba un cerebro humano. Había realizado con éxito intervenciones rechazadas por sus colegas por considerarlas demasiado arriesgadas, había salvado vidas y regalado salud y calidad de vida a mucha gente. Si bien seguía residiendo y trabajando en Boston, viajaba mucho por el mundo, pues era invitado en los centros médicos más famosos para dar demostraciones de sus extraordinarias cualidades. También había tenido algunos fracasos y, siendo bondadoso por naturaleza, estos le escocían profundamente. Le resultaba muy duro tener que decirles a los familiares de un paciente que el resultado de una operación no había sido tan satisfactorio. En cada caso, luchaba para endurecerse y mantener a resguardo sus sentimientos, pues comprendía que, de no hacerlo así, terminaría loco. Pero había casos que lo tocaban particularmente, y cuando vio lo que decía en "asunto" el mail de Kayden McKey, torció el gesto con una mueca.

De: Kayden McKey

Fecha: 11 de febrero de 2017 18:55.

Para: Dr. A. M. Logan

Asunto: Padre desesperado.

No logré convencerla, Dr. No hubo forma. Dice que si trato de arrastrarla a otra tanda de exámenes estériles, ella desaparecerá, se irá a algún país africano para morir en paz entre los zulúes...

Eyre McKey, 21 años, diagnosticada con un tumor en los lóbulos temporales, el sitio más infame donde podría haberse alojado. Había comenzado a desarrollarse entre el medio y el superior, para luego expandirse como una sábana por el supramarginal y el post-central, hundiéndose en la cavidad interior. No era maligno, pero cuando lo descubrieron era tan grande ya, y el sitio donde estaba enquistado tan delicado, que ninguno de sus colegas había querido operarla. Ella, cuyo padre la describió en la consulta como una muchacha alegre, inteligente y "el mejor ser humano que alguna vez había pisado la Tierra", y que jamás había estado enferma en su vida, comenzó a tener unos molestos dolores de cabeza, sobre todo al despertarse en la mañana. Y si bien estos se aliviaban con el pasar de las horas hasta llegar a desaparecer, la muchacha no quería seguir padeciendo esta extraña molestia, por lo que consultó al médico de la familia. La conclusión fue la larga serie de placas, tomografías y exámenes variados que el padre había desplegado sobre el escritorio de Alan. Todos los médicos que habían visitados aconsejaban radioterapia y quimioterapia, pero descartaban una posible operación. Entonces Kayden McKey había escuchado hablar de un joven neurocirujano que realizaba operaciones cerebrales con resultados espectaculares y lo había contactado en Boston. Durante sus vacaciones navideñas a su ciudad natal Alan aceptó recibirlo, vista la insistencia del hombre. Él solo, porque su hija Eyre le había dicho que no visitaría un solo médico más, ya que no quería hacer de sus últimos día de vida un calvario plagado de inútiles esperanzas y desengaños. A pesar de esto McKey se había pasado el último mes intentando convencer a su hija a que intentara este otro camino.

...Sé que no miente Dr., Eyre es más fuerte que el acero, es capaz de llevar a cabo su amenaza. Tiró la toalla, y no hay quién la convenza. Quisiera tomar su lugar, ofrecer mi

vida para que mi pequeña pueda vivir la suya, que apenas comienza...

La carta seguía con palabras henchidas del dolor más profundo, y Alan, una vez más, se involucró con los sentimientos de un padre abatido por la desgracia. Le respondió con frases afectuosas y que lo alentaban a seguir insistiendo.

...Estaré afuera de Estados Unidos un par de meses más, pero los próximos quince días tengo un receso en mis labores. Puedo escaparme a Boston para operar a su hija. Cuanto más tiempo perdemos, más difícil se torna la situación. Infórmeme, por favor...

Se despidió y envió el mail. Luego luchó con el sentimiento de impotencia que lo embargaba. Él no les había hecho promesas imposibles, sino que, después de estudiar a fondo todas las imágenes, había sido claro: era un caso muy difícil. La operación podía salir maravillosamente bien, pero existía la posibilidad, muy alta, por cierto, dadas las características del tumor, de que los resultados no fueran los esperados. Pero había un margen de esperanza. Pequeño, pero lo había ¿Por qué aquella muchacha testaruda quería desperdiciarlo?

Guardó el teléfono en el bolsillo y se puso de pie suspirando. Tal como se había entrenado a sí mismo, desvió sus pensamientos hacia otras cosas. Las dos semanas libres que tenía a la vista, por ejemplo. Podía regresar a Boston y trabajar, o podía tomarse un respiro, que bien lo necesitaba. Ya detrás de la puerta de salida, se quedó mirando alicaído la lluvia que salpicaba la calle, corriendo en riachuelos. De repente se sintió hastiado por el mal tiempo.

Sol. Como dijo aquella muchacha despistada, lo que hacía falta era un poco de sol.

CAPITULO II

Alan miraba melancólicamente la lluvia que fluía por los ventanales, distorsionando la vista del exterior. Aunque por el momento, tampoco había gran cosa que admirar, como no fueran las jardineras anegadas y los caminos de lozas que serpenteaban entre el césped, transformados en torrentes. Estaba sentado en el hall del hotel McKey, en Las Palmas, a donde había volado desde París ¡supuestamente para gozar de unos días de sol!

La noche anterior, cuando bajó del avión no podía creer que lloviera a cántaros, pero la charla del taxista que lo llevó hasta el hotel lo tranquilizó un poco.

— Aquí en invierno tan solo llueve unos cinco días al mes —le dijo el hombre, con tono optimista—. Del resto tenemos temperaturas entre 15 y 23°C, ¡Y sol la mayor parte del día!

Lo que Alan no había preguntado era si se refería a cinco días de lluvia seguidos o esporádicos...

¡Había que sufrir de mucha mala suerte para que le pasara esto!

Estaba casi decidido a volar a Boston para pasar estos días con su familia, pero parecía que algo se había confabulado para hacerle cambiar de idea.

Primero Chiqui, la muchacha que le había hablado de Las Palmas con expresión soñadora. Luego el mail de McKey. El hombre era dueño de una cadena de hoteles que llevaban su apellido. Cuando se conocieron en la consulta, le había insistido que fuera su huésped en cualquier parte del mundo donde estuviera emplazado un hotel McKey. Y al salir del hospital, con aquel estado de ánimo medio melancólico, pensó que los hados le estaban diciendo que saliera de París. Y resulta que había cambiado un paraguas por otro... Ya basta, decidió. Ahora mismo cancelaría la reserva y saldría de ahí.

Y hablando de paraguas... Mientras se dirigía a la recepción notó que el portero sostenía uno, y con la otra mano intentaba mantener la puerta abierta para darle paso a una muchacha ensopada hasta los huesos, que arrastraba una maleta mediana. Aquella escena no era inusual, se había repetido varias veces mientras Alan estuvo sentado en el hall, pero siempre un botones solícito corría para ayudar al cliente. En aquel momento, sin embargo, el único que estaba a la vista era el gerente, un tipo de sonrisa hipócrita que a Alan le había caído mal desde el primer momento en que lo vio. El hombre, que no se achicaba a la hora de ayudar a un cliente, en aquella oportunidad se quedó inmóvil, mirando con mal celado desprecio a la mujer, que en aquel momento, ya cerca del mostrador, soltó su maleta se quitó el gorro mojado y lo hundió con presteza en el bolsillo exterior de la maleta. Se enderezó, y alejó los rizos húmedos de su rostro.

¡Chiqui! ¡Era la muchacha que había sembrado la semilla de aquel desafortunado viaje! Alan sintió un inesperado y totalmente injustificado atisbo de resentimiento hacía aquella niña... Sustituido inmediatamente después por una oleada de excitación, que lo dejó perplejo.

—Buenas tardes —. Sonrió ella. Aquella radiante sonrisa despejó el ambiente tristón, pero el gerente no se dejó conquistar. Seguía observando sin disimular el disgusto su anodina y húmeda ropa y la maleta negra, pulcra pero bastante usada.

—Es un placer saludarla, señorita — ¡hasta le hizo una pequeña inclinación! — Si está aquí en busca de alojamiento, lamento tener que decirle que no tenemos habitaciones disponibles.

Chiqui levantó las cejas, sorprendida, mientras que la recepcionista lo miraba confusa.

—Señor Rodríguez —comenzó a decir ésta última— hay habit...

Rodríguez la fulminó con la mirada.

—La última que quedaba libre se le asignó al huésped paquistaní que acaba de tomar el ascensor —la interrumpió.

La muchacha parpadeó sorprendida.

—No sabía... — murmuró. Luego frunció las cejas y removió nerviosamente algunos papeles que había sobre el mostrador.

Alan escuchaba y no tardó ni un segundo en darse cuenta de la situación: sí, había habitaciones libres, pero al gerente no le había gustado el aspecto de la muchacha y no la quería en el hotel. En realidad, ella no tenía pinta de millonaria, pero ¿Qué derecho tenía aquel patán de tratarla de forma tan grosera?

—Sí, bueno... —Chiqui no pareció amilanarse—. Me alegra que el hotel esté lleno, pero estoy segura de que podría alojar...

—Lamento tener que insistir señorita —Rodríguez la interrumpió a ella también, de una forma muy poco caballerosa— pero muy a nuestro pesar, no podremos recibirla.

Alan ya hervía de furia ¡Qué patán malcriado y falta de respeto!

—Si no queda espacio libre —intervino gélido— podría alojar a la señorita en una de las habitaciones de mi suite. O, si es necesario, hasta podría irme y dejársela por completo a ella.

Nadie había notado su presencia. Rodríguez se giró, y al verlo palideció, mientras los ojos de la recepcionista centellearon de satisfacción, pero trató de mantener la compostura. Por su parte, Chiqui, al reconocerlo lo encandiló con una de sus maravillosas sonrisas.

—¡Doctor Morris!

—Alan—contestó él, sin poder evitar sonreír también. Su rabia se había esfumado como por arte de magia.

—Alan... has seguido mi sugerencia de buscar sol.

— ¡¿Sol?! — Inquirió él fingiendo una profunda sorpresa.

Ambos se rieron con regocijo, aunque la risa de Chiqui se transformó en un ataque de tos.

—Esta gripe no quiere remitir ¿eh? —le dijo el médico.

—Ya estaba mejor, pero creo que este chapuzón —y Chiqui indicó su ropa húmeda— ha vuelto a alborotar los gérmenes.

Rodríguez los miraba horrorizado. Se conocían, y el médico americano, huésped personal del dueño, había comprendido que él no quería alojarla. ¡Señor bendito! El tipo no tenía forma de saber que estaba mintiendo, pero podría echarle el cuento al propio McKey y ¡Lo último que él quería eran problemas con el dueño del hotel!

—Ahhh... Irene —dijo dirigiéndose a la recepcionista—, creo recordar que esta mañana se desocupó una de las habitaciones estudiantiles ¿quiere verificar, por favor?

—Sí Irene, por favor busque rápido —la voz de Alan destilaba disgusto —. Porque la señorita necesita un baño caliente de inmediato, si no quiere pillar una pulmonía. Cosa de la que podríamos responsabilizar al señor Rodríguez...

La carcajada que la joven estuvo a punto de soltar se truncó a tiempo en una sonrisa profesional, tecleó algo en el tablero y anunció que sí, de hecho, había una de las habitaciones pequeñas que se le podía asignar a la señorita.

Chiqui miró perpleja a la otra muchacha, luego al gerente, mientras éste se disculpaba gesticulando. Pareció a punto de decir algo, entonces su mirada se centró en la cara de Alan y después de observarlo unos segundos, pensativa, suspiró, como si hubiera tomado una decisión importante y dijo que sí, que aceptaba la habitación estudiantil.

—¿Vio doctor? Todo fue un malentendido que pudimos resolver prontamente. Los hoteles McKey se distinguen por su atención al cliente...

La perorata untuosa del gerente fue interrumpida por un empleado de uniforme que llamó su atención gesticulando, y el hombre se apresuró a disculparse y alejarse de ahí, seguido por la mirada maliciosa de Alan.

—Apresúrate a registrarte y sube a tu habitación —le dijo a Chiqui—. En serio, necesitas quitarte rápido esta ropa mojada.

La joven asintió y le entregó a la recepcionista su pasaporte y una tarjeta de crédito.

—La verdad es que estaba mucho mejor —le aseguró a Alan suspirando—. Pero, los minutos que pasaron mientras encontraba taxi en el aeropuerto fueron suficientes para que me empapara la ropa... ¿Cuándo llegaste? —Inquirió llenándose los ojos con su presencia. Las manos de dedos largos y sensibles, aquella sonrisa cautivadora, el rostro enmarcado por el cabello que se encrespaba ligeramente... ¡Era hermoso! No era la palabra para describir a un hombre, pero guapo no alcanzaba.

—Anoche —contestó él—. Y de verdad que ya estoy hasta la coronilla de lluvia... Iba hacia mi habitación a preparar la maleta.

—¿Te vas ya? —Ella parecía horrorizada— ¡No puedes! ¡Mañana amanecerá el día más espectacular que haya visto en tu vida!

—¿Debo creerte? —Él fingió un escepticismo exagerado, mientras indicaba en ventanal anegado.

—¡Lo juro! Ya verás que tengo razón.

Él ya había hecho sus planes, pero la expresión expectante de aquellos ojos dorados lo turbó. No lo pensó dos veces:

—Está bien —le dijo levantando las palmas de las manos—. Creo en tu palabra.

—Su habitación es la cinco cero tres, en el quinto piso —intervino la recepcionista, mientras otro huésped se acercaba al mostrador.

—Te invito a cenar — le dijo Alan mientras ella firmaba el resguardo y guardaba los documentos en la cartera.

La sonrisa con la que ella le agradeció deslumbró a otro hombre, un sujeto de mediana edad que se había acercado al mostrador de recepción.

—¿En una hora te parece bien? —inquirió, iluminando el entorno con el resplandor dorado de sus ojos.

Le va a provocar un infarto pensó Alan, viendo como el hombre la miraba embelesado, casi babeando.

—Perfecto. En una hora en el comedor —contestó divertido.

Y mientras ella seguía al botones que arrastraba su maleta, pensó que después de todo, no había sido mala idea tomarse aquellas vacaciones.

Cuando apareció en la entrada del comedor, buscándolo con la mirada, Alan pensó que su primera impresión había sido correcta. Libre de chaquetas, bufandas y ropa de lana, su cuerpo mostraba la frágil esbeltez que había adivinado la primera vez que la viera. El pantalón color canela, pegado al cuerpo y embutido en unos suaves botines negros de mediacaña, mostraban unas caderas ligeramente redondeadas y un par de piernas esbeltas. Levantó una mano, y al descubrirlo ella se acercó a la mesa, indiferente a las miradas de admiración y envidia que la seguían. La camisa de seda negra flotaba a su alrededor, dibujando los senos pequeños y el tórax fino y delicado. ¿Sería modelo? Se preguntó Alan observando su andar elástico y los movimientos medidos y precisos. No, concluyó que era demasiado bajita para serlo. Ya se levantaba para retirarle la silla, pero el mesonero se adelantó, obsequioso y ansioso por complacerla. Chiqui ¡Cómo no! Le agradeció con una sonrisa capaz de derretir hasta la mantequilla que estaba en un platito en la mesa, y el otro le abrió la servilleta, le sirvió un vaso de agua y se hubiese arrodillado a sus pies, de no descubrir la gélida mirada de Alan.

—Lo llamaré en cuanto estemos listos para ordenar —le dijo este, tratando de que su voz no sonara muy seca.

Chiqui no parecía particularmente trastornada por todas aquellas atenciones. Se acomodó en la silla y sus rizos, domeñados por el reciente champú, lanzaron reflejos cobrizos.

Cabía comenzar una conversación, pero él, tal vez por primera vez en su vida, se encontró extrañamente cohibido.

Fue ella la que, con desenvoltura, rompió el hielo.

—¿Estás haciendo un tour por Europa?

—Ojalá fuera así —contestó él—. No, en los últimos dos meses, en París, he saltado de una conferencia a otra, de un quirófano a otro... Aparte de unos pocos días a final de año que pasé con mi familia, estas que me sugeriste, son las primeras vacaciones en meses... O deberían serlo, si la lluvia lo permite.

— ¡No seas pesimista! —Protestó Chiqui, alegre— Verás que mañana tendremos un sol espléndido.

Él sonrió, asintiendo.

—Tendré que creerte. Aquí la experta eres tú. Me dijiste que eres de origen español...

—Sí —su rostro se ensombreció fugazmente—. Pasamos muchos veranos aquí, o en la península, como acostumbraba a llamarla mi madre... ¿Y tú nunca habías venido a las Canarias?

Alan se dio cuenta de que ella desviaba el tema de sí misma, y no insistió en preguntarle. Contestó que era la primera vez que visitaba la isla, y habló de sus visitas a otras ciudades, otros continentes. Encargaron la comida y siguieron conversando fluidamente, hasta que Chiqui se cubrió discretamente la boca para toser, girando la cabeza a un lado. Él entonces se fijó en la sombra de cansancio que reflejaban aquellos ojos ámbar, y se quedó cortado a mitad de una frase.

—Te sientes mal —no fue una pregunta, sino una afirmación.

Ella levantó las palmas de las manos.

—Lo estoy pasando buenísimo —dijo algo apenada—, pero la verdad es que tengo un ligero malestar en todo el cuerpo...

—Fue la lluvia —añadió mientras Alan le indicó al mesonero, con una seña, que le trajera la cuenta—. Al salir del aeropuerto la gente se peleaba para agarrar un taxi. Me mojé bastante antes de conseguir uno...

—¿Tienes antipiréticos? —le preguntó él mientras se dirigían hacia el ascensor, después de firmar el resguardo.

—Sí, y también analgésicos.

—Tómate un par antes de acostarte.

—Lo haré doctor, gracias por su consejo.

Entraron en el ascensor riendo.

— ¿Mañana podrías ser mi guía turístico? —inquirió Alan mirándola a los ojos. No se cansaba de observar aquel raro color dorado.

—¡Seguro! El que se despierta antes, llama al otro ¿te parece?

—Así quedamos.

El ascensor se detuvo.

—Piso cinco —anunció el botones con voz cantarina.

Alan, sin dudarlo, la besó en la mejilla.

—Hasta mañana. Y si te sientes peor durante la noche, no dudes en llamarme.

—Lo haré Alan, tranquilo. Y mañana te mostraré los lugares encantadores de esta isla...

Él la siguió con la vista mientras salía, luego las puertas al cerrarse la ocultaron. Cuando bajó en su piso, se descubrió sonriendo como un bobalicón.

Eran ya las diez y media de la mañana siguiente, y no había rastro de la muchacha. Sentado en el hall, pendiente de los ascensores, Alan trataba de lidiar con su impaciencia. La había llamado un par de horas antes, pero ella no respondió. La tarjeta magnética de la habitación de la muchacha no estaba en la recepción, pero esto no significaba nada, tal como le explicó la empleada de turno, pues a veces los huéspedes se olvidaban entregarla. Se ofreció a llamarla de nuevo, pero Alan resolvió no insistir.

Tragándose su desilusión, esperó media hora más, luego salió solo a pasear.

La muchacha había acertado: el clima era espléndido. La tibieza del sol lo reconfortó sin abrumarlo, y el aire cargado de salitre lo llevaba a respirar profundamente, llenando sus pulmones a fondo. Si bien la isla era famosa por sus playas espectaculares, él decidió que, por el momento, había visto suficiente agua como para desear ver más. Por tanto, guiándose por el mapa, tomó la

Avenida Marítima que, como descubrió, cruzaba la ciudad de punta a punta, bordeando la costa. No tenía una meta fija, se limitó a caminar, disfrutando de la mezcla entre lo antiguo y moderno. No había rastro de polvo, la lluvia del día anterior había lavado plazas y monumentos, el aire era liviano y estimulante y las áreas verdes estallaban de color y opulencia.

Comió un excelente almuerzo a base de pescado en un restaurant al aire libre, sentado bajo un toldo, rumiando por momentos su decepción. Porque la deserción de Chiqui seguía doliéndole. Se había ilusionado gratamente pensando en pasar el día con ella, y no comprendía qué había pasado que le hubiera hecho cambiar de idea. Varias veces pensó en el malestar que ella presentaba la noche anterior, pero llegó a la conclusión que un resfriado no era algo tan grave como para inhabilitarla. De repente se inmovilizó ¿Y si hubiera empeorado? Pero él la había llamado en la mañana, inclusive había marcado tres veces seguidas el código de la habitación cinco cero tres, que le habían facilitado desde la recepción. No, la molestia que presentaba no la hubiese inmovilizado al punto de no poder atender el teléfono. Sin embargo, una vez instalada, la duda no lo dejó, por tanto, se apresuró a pagar la cuenta y a regresar al hotel.

Eran pasadas las cinco de la tarde y había bastante ajetreo en la recepción, huéspedes que regresaban de las playas, y otros que salían a gozar del atardecer, botones cargando maletas y murmullos de voces, algunas bajas, otros de tono más elevado. La recepcionista se movía con destreza detrás del mostrador, tecleando, devolviendo documentos, entregando tarjetas, pero era un momento de confusión, y cuando Alan le pidió que lo comunicara con la habitación cinco cero tres, ella contestó cortésmente que debía esperar unos minutos para poder atenderlo.

Alan decidió entonces que era mejor subir a su habitación e intentar llamarla desde ahí. Pisó el botón de llamada del ascensor, y en aquel momento una joven con el uniforme del hotel se situó a su lado.

—Disculpe doctor ¿por qué no sube usted mismo a la habitación cinco cero tres?

Lo dijo en excelente inglés, pero en un tono tan bajo que él creyó no haber oído bien.

—¿Perdón? —inquirió perplejo.

Pero, antes de que ella contestara se abrieron las puertas del ascensor. La joven le lanzó una breve mirada de angustiada disculpa y se alejó   apresuradamente.

Alan la vio desaparecer en el recodo del pasillo. Entró en el elevador y sin dudar pidió el piso cinco.

Llegó a su destino y mientras buscaba los números de las puertas para ubicarse, una mujer de mediana edad con uniforme de enfermera salió del ascensor de servicio. Le dirigió una sonrisa y se encaminó resueltamente hacia la derecha, dirección que él tomó también. Ambos se detuvieron detrás de la puerta cinco cero tres, y la alarma se disparó en el cerebro de Alan.

—¿Viene usted a visitar a la señorita? —le preguntó ella frunciendo las cejas.

Alan, en un español cargado de acento le dijo que sí, que era amigo de la señorita ¿Y qué hacía ella allí?

—La joven está indispuesta —contestó ella en inglés, mientras abría la puerta—. Vengo a revisarla. Déjeme preguntarle si quiere recibirlo...

—Dígale que Alan quiere verla. —se apresuró a decir reprimiendo las ganas de empujar la puerta y entrar sin preámbulo. Pasaron un par de minutos antes de que la enfermera volviera a abrir, durante los cuales él se maldijo en cuatro idiomas por no haberla buscado en la mañana, por no haber insistido, por no...

Entró, y en dos zancadas estuvo al lado de la cama. Chiqui, que tenía un termómetro entre los labios, entreabrió los ojos, y sus párpados volvieron a cerrarse blandamente.

—Hola... —murmuró, y el medidor tembló—. Te dejé plantado. Disculpa...

Su cara estaba enrojecida, y cuando él le puso una mano en la frente sintió que su piel ardía.

—¿Cómo te sientes? —Le preguntó con preocupación.

—Mejor que esta madrugada —contestó ella débilmente.

—¿Ya la vio un médico? —Le preguntó él a la enfermera, frunciendo las cejas mientras le tomaba el pulso— ¿Cuál es el diagnóstico? ¿Le realizaron análisis?

—Con calma, joven —contestó la mujer levantando el mentón—. Una pregunta por vez. No, hoy es el día libre del médico del hotel. Pero yo la he atendido, subo cada hora a verla. La fiebre está remitiendo y...

—¿Remitió? —La interrumpió él iracundo— ¡Tiene treinta y nueve grados!

—¡Esta mañana tenía cuarenta y uno! —Replicó la mujer con ojos chispeantes, retirándole el termómetro a la joven y revisándolo— ¡Está respondiendo bien al...! ¿Cómo sabe que tiene treinta y nueve? —inquirió de pronto mirando el instrumento, a él y de nuevo al instrumento.

—Porque soy médico —contestó él secamente—. Estoy familiarizado con la temperatura de los pacientes. Y ahora, por favor, explíqueme qué está pasando aquí ¿Cómo es que no hay un médico en el hotel? ¿Ý por qué, en dado caso, no la llevaron a una clínica?

—Alan, escucha...— Murmuró la muchacha.

Pero él no escuchaba. Presa de una ira irrazonable, se dirigió al teléfono y después de identificarse pidió que enviaran de inmediato al gerente a la habitación cinco cero tres. Escuchó unos segundos y con voz donde vibraba la autoridad le dijo a su interlocutor:

—Dígale al gerente que si no sube en cinco minutos se arrepentirá.

Cerró el aparato con un golpe, mientras la enfermera explicaba a la defensiva:

—Yo no tengo la culpa. Cuando fui informada subí de inmediato a verla. A las doce de nuevo le di el antipirético, he hecho lo que he podido, pero como ya le dije, hoy es el día de descanso del médico. Estoy sola atendiendo la enfermería, no puedo dejarla abandonada. He subido cada hora a controlar a la joven, pero debo estar abajo a disposición de otros huéspedes que puedan necesitarme.

—¿Por qué no la llevaron a una clínica? —Volvió a preguntar él.

—Yo no quise ir, Alan—contestó Chiqui con voz ronca— . No es más que un resfriado que está siguiendo su curso...

—Cierto — intervino la enfermera mostrándole unos papeles que estaban encima del tocador. — Cuando subí a verla, lo primero que hice fue sacarle una muestra de sangre y mandarla al laboratorio. Es solo un virus.

Él los estudió en silencio, conviniendo con ella, pero antes de que pudiera abrir la boca tocaron a la puerta, y un momento después el gerente, pálido y a la defensiva se encaraba con él.

—¿En qué puedo servirle, doctor? —inquirió con el acostumbrado tono untuoso.

—¿Puede explicarme por qué no hay un médico en el hotel?

—Hoy es su día de descanso, y...

—Ya la enfermera me informó —lo interrumpió Alan, molesto—. Lo que pregunto es, cómo es posible que un hotel donde no queda una sola habitación libre no tenga asistencia médica ¿Y si se presenta una emergencia? Como esta, por ejemplo...

Indicó la cama donde yacía Chiqui.

Rodríguez en apariencia no se alteró, pero se notaba que estaba a la defensiva.

—La señorita ha tenido la asistencia que su caso, nada grave, amerita —contestó—. La enfermera aquí presente la ha atendido con dedicación. Y si, Dios nos ampare, se trataba de algo más complicado, hay un hospital a menos de un kilómetro de aquí.

—¡Un kilómetro! —Exclamó Alan— ¿Y si se trata de un infarto, o algo parecido? ¡Un solo minuto hace la diferencia entre la vida y la muerte de un paciente! En este caso, usted sabía que soy médico ¿por qué no me llamó?

—No es mi costumbre molestar a los huéspedes del hotel, sobre todo cuando no hay un motivo de peso...

—¿No hay motivo de peso? ¡Dios mío, no puedo creerlo! —Alan hablaba en voz baja, pero echaba chispas— ¡Esta muchacha tenía cuarenta y un grados de fiebre, y no lo considera motivo de peso! ¿Quiere estar frente a un cadáver para tomar iniciativas vigorosas?

—Ustedes obviamente son amigos —dijo Rodríguez—, si la señorita se sentía tan mal ¿por qué no lo llamó ella misma?

Chiqui suspiró. Se sentía avergonzada por haber causado aquel revuelo, pero decidió que no podía dejar mal a Alan.

—Me sentía tan mal que no me acordé de que estabas en el hotel —contestó, cuando la verdad era que no quiso informarlo de su malestar.

—Esta mañana te llamé, como a las ocho, pero no contestaste.

—A esa hora estaba en la bañera —contestó ella con cansancio—. Me quedé largo rato en el agua, esperando que me bajara la fiebre...

Alan la miró estupefacto, luego le pidió a los otros dos que lo siguieran afuera, en el pasillo.

—Esto es increíble —Alan se pasó una mano por el cabello, tratando de mantener la rabia bajo control—Sola, con fiebre altísima y sumergida en una bañera de agua ¿Y si se desmayaba y se ahogaba?

—El agua no era tan alta como para que existiera la posibilidad de ahogarse —murmuró la enfermera—. Yo misma la ayudé a entrar en la bañera, luego...

—¿Luego se fue y la dejó sola? —Rodríguez vio la oportunidad de descargar culpas— ¡Y yo que pensaba que usted era una profesional competente!

—¡El niño del once siete dos se cayó y me llamaron de emergencia! — Se defendió la mujer— Tuve que...

—Nada, aquí no hay excusas por su falta...

Alan había presenciado demasiados atropellos contra el personal auxiliar para permitir uno más.

—Enfermera ¿tiene usted alguna colega que la ayude en el dispensario? —inquirió amablemente, interrumpiendo la perorata del hombre.

—No —contestó ella, preocupada —. Cuando el doctor Torres tiene el día libre soy la única responsable de...

Su teléfono móvil sonó en aquel momento, interrumpiéndola. Ella habló unos segundos, luego se excusó alegando una emergencia y se dirigió apresuradamente hacia el ascensor, no sin antes lanzarle a Alan una mirada implorante.

Rodríguez quiso decir algo, pero Alan levantó la mano con la palma hacia adelante, diciendo con voz firme:

—Esta discusión termina aquí. Desde este momento tomaré a la señorita a mi cargo como paciente, despreocúpese de ella.

—Muy bien —El hombre asintió vigorosamente, luego frunció los labios con severidad, añadiendo:

—En cuanto a la enfermera...

—En cuanto a la enfermera... —lo interrumpió el joven con decisión— Usted no se atreverá a tomar represalias contra ella, si no, tendrá que responderme a mí del asunto. No conozco las leyes españolas, pero no creo que sea legal que una sola persona esté a cargo del dispensario de un hotel tan grande.

Por la expresión del gerente supo que había dado en el blanco.

—Así que no permitiré que descargue sobre la pobre mujer responsabilidades que no tiene. Si hay alguna falla aquí, es en la estructura de atención médica del hotel. Y ahora, si me disculpa, debo atender a mi paciente.

Indicó la puerta con gesto elocuente.

Lívido, el gerente se alejó hacia el ascensor, despidiéndose con una ligera inclinación de cabeza.

Alan volvió al lado de la muchacha.

—Disculpa Chiqui —suspiró—. Lo menos que necesitabas era asistir a una escena.

—Todo fue culpa mía... En serio, Alan—murmuró ella— no es para tanto. Ya me repondré...— Su voz cansada, sin embargo, decía otra cosa.

—Shhh, usted a callar, que aquí el médico soy yo. ¿Qué has comido hoy?

Ella desvió la mirada. Sus ojos se veían inmensos en la cara demacrada. Y sin embargo con las mejillas arreboladas por la fiebre y los rizos desordenados que enmarcaban su rostro estaba más hermosa que nunca.

—Humm... La verdad es que no he comido nada... No tengo hambre —contestó.

A él no le extrañó. Con fiebre tan alta no tendría hambre, y sin embargo no podía seguir en ayunas. Pero, sin nadie que la obligara...

—A ver, son casi las siete. En una hora deberás tomar de nuevo la pastilla para bajar la fiebre, y si no comes algo antes, se te puede irritar el estómago. Mira lo que haremos, mientras tú te das un baño, yo pido algo y cenamos juntos. Luego tomas tu tratamiento y...

—¿Otro baño? —Chiqui lo miró espantada— ¡No podrás obligarme a meterme de nuevo en una bañera de agua fría!

—¿Quién habló de agua fría? Tiene que ser tibia; el agua fría puede producir un schock sobre un organismo enfebrecido.

Chiqui lo miró con desconfianza.

—Sí, sé que muchos siguen todavía con las viejas creencias, pero ya verás que no miento, voy a preparártelo yo mismo.

El baño era pequeño, pero estaba perfectamente equipado. Bañera con puertas de cristal para usarla también como ducha, piezas sanitarias blancas, impecablemente aseadas. En la estantería situada encima del tanque del escusado estaban alineados exactamente los mismos productos que él encontró en su suite de lujo: jabones, champú, aceite y crema de las mejores marcas. Gel de espuma y sales perfumados, gorro de plástico para protegerse el cabello y un secador de pelo. Toallas esponjosas y detrás de la puerta, un albornoz.

Alan tapó la bañera, abrió el agua, reguló la temperatura, luego le echó una generosa porción de gel, que al instante comenzó a producir un montón de espuma. El ambiente se inundó de un ligero y agradable olor a lilas.

Él fue a la habitación llevando el albornoz.

—Desvístete mientras yo cuido el agua...

Regresó al baño, y un par de minutos después ella apareció. Se veía perdida dentro de la bata, pequeña y desvalida. Él, observando las manos finas de delgadas muñecas que aferraban el cuello de la prenda, sintió una oleada de ternura hacia aquella muchacha prácticamente desconocida, que el destino había puesto en su camino. Se miraron fijamente unos segundos, y fueron sus ojos febriles los que lo hicieron reaccionar.

—No tranques la puerta — le dijo mientras salía.

Ella se puso el gorro plástico, se desvistió y entró en la bañera, tiritando, con una mueca de predisposición. Descubrió que la temperatura del agua era agradable, más fría que caliente, pero no molestaba, y aquel mar de espuma invitaba a relajarse. Lo escuchó hablar por teléfono con el servicio de habitaciones, con aquel tono de amable autoridad, pero la fiebre la llevaba a divagar, y pronto se quedó con la mente en blanco, cansada de aquel malestar que la tenía doblegada.

—¿Puedo pasar? —La voz de él la sacó de su modorra.

—Adelante...

Él se apoyó en el marco de la puerta. La espuma cubría la superficie de la bañera, tal como él lo había programado para que la joven no sintiera incomodidad con su presencia. No le preguntó cómo se sentía, pues su expresión adormilada lo decía todo.

—Ya vienen a cambiar las sábanas, para que estés más cómoda.

Chiqui sonrió, agradecida.

—Te adelantaste a mi deseo —dijo estirando mejor las piernas—. Pensaba decirte, por favor, que llamaras.

—Recuerda que soy médico, sé cuáles son las necesidades de los pacientes.

—Lamento causarte tantas molestias, Alan —ella hizo una mueca—. No quería arruinarte las vacaciones, por eso no te llamé hoy.

Él le restó importancia al asunto con un gesto de la mano.

—Y si mi guía no se mejora ¿quién me irá a enseñar las bellezas de la isla?

—¿Dónde estuviste hoy?

Alan comenzó a hablarle de su recorrido, pero fue interrumpido por alguien que tocaba a la puerta.

—Debe ser el personal de servicio —dijo, al tiempo que se giraba.

— Dejé el pijama limpio encima de la cama... —la voz de la muchacha lo siguió— No vayan a enredarlo con las sabanas que se llevan.

Sí, era la mucama, que entró cargando una brazada de ropa blanca.

—¿Cómo sigue la señorita? —Preguntó de inmediato —. Esta tarde ardía en fiebre.

—Un poco mejor, gracias —contestó él asiendo la ropa que Chiqui le había indicado—. Está tomando un baño para que siga bajando la temperatura.

Ella asintió y puso eficazmente manos a la obra. Mientras, Alan observó la habitación. Cama matrimonial con un ancho respaldar que servía de repisa para objetos personales, encima del cual había un reloj, un teléfono celular, un libro, los lentes que él mismo había recogido del piso unos días atrás, un frasco de pastillas antipiréticas y un termómetro dentro de su estuche. Closet empotrado más un tocador con gavetas a los lados y un amplio espejo, un pequeño escritorio con una silla, situado debajo de la ventana que abarcaba toda la pared. Al frente de la cama, un televisor pantalla plana instalado en lo alto de la pared. Era evidente que el espacio que ocupaban habitación y baño no debía superar los dieciocho metros cuadrados, pero era admirable la forma en que los habían aprovechado para crear un máximo de comodidad.

La empleada se fue y él, después de pedir permiso volvió junto a la muchacha.

Chiqui tenía la mirada más clara, más serena, y al ponerle una mano en la frente Alan constató que la fiebre había bajado algunos grados. Consultó el reloj. Tenía casi media hora en el agua, y ya era suficiente.

—Terminó el tormento, jovencita —bromeó desplegando una toalla grande. La mantuvo abierta a la altura de su frente para evitar mirar su cuerpo desnudo, y cuando vio sus pies afianzados en la alfombrilla la envolvió.

—Aquí te dejo tu pijama, te espero en la habitación.

Mientras ella se secaba y vestía, llegó la cena. Al salir del baño encontró a Alan trasteando con los envases dispuestos en la mesita rodante. Había apagado la luz central y prendido la lámpara de lectura, de modo que la habitación se sentía fresca y envuelta en un ambiente íntimo. La hizo acostarse y a pesar de sus protestas, la obligó a tomar media taza de consomé. Luego le sirvió una pequeña porción de pollo y verduras, y distrayéndola con su charla sobre los sitios que había visitado en la mañana, él mismo se lo dio a comer en la boca, pedacito por pedacito. Mientras, él también engullía algún que otro bocado.

Finalmente le dio a tomar un par de pastillas con unos sorbos de jugo.

Al haber comido sin tener mucha hambre, Chiqui se sentía llena y amodorrada, pero admitía que muchísimo mejor de lo que se había sentido en las últimas veinticuatro horas. Se hundió más en las almohadas y observó a Alan, mientras este terminaba de cenar. Era muy guapo, pero hombres más guapos que él había conocido, sin sentirse tan atraída. Alan Morris tenía un no sé qué, cierto magnetismo viril   que la intrigaba y la excitaba. La penumbra resaltaba los ángulos en su rostro, la mandíbula cuadrada, el mentón voluntarioso. Lo vio sacar el carrito fuera de la puerta. Al regresar buscó el termómetro y después de revisarlo se lo entregó.

—Veamos cómo va esto —dijo mientras ella instalaba el medidor en su boca.

La dejó y se encerró unos minutos en el baño. Al salir, le retiró el termómetro y sonrió.

—¡Treinta y ocho! La fiebre está cediendo.

Ella sonrió. Comprendió que, ahora que su situación estaba bajo control él se iría, y la acometió de pronto un sentido de soledad.

—No te vayas ahora... Quédate un rato más — Murmuró con voz adormecida.

—¡No pensaba irme antes de estar seguro de que la fiebre remitió por completo! —Exclamó él sonriendo.

—¿Por qué tengo esta soñolencia? —Preguntó ella sofocando un bostezo— Me pasé prácticamente el día durmiendo y no estoy satisfecha aún.

—Son los componentes de las pastillas, Chiqui. Y no te resistas, descansar te ayuda a recuperarte. Si me permites, voy a recostarme a tu lado y reviso los mensajes de mi correo.

La muchacha asintió sin dudarlo. Entre los párpados semicerrados vio como él se quitaba la chaqueta del chándal y los zapatos, luego buscó su móvil en el bolsillo.

Finalmente retiró la sábana y la cobija y las empujó hacia el centro de la cama, para que ella se pudiera mover con comodidad, y se recostó a su lado. Chiqui se deslizó en el sueño con una agradable sensación que inundaba todo su ser.

Alan se despertó sobresaltado y tardó unos segundos en recordar donde estaba. Tenía frío, el acondicionador mantenía la temperatura de la habitación baja, él se había dormido descubierto y estaba helado. A la luz de la pequeña lámpara que seguía encendida, miró su reloj y vio que eran las dos de la madrugada. Chiqui dormía apaciblemente, con una palma debajo de la mejilla. Se apresuró a tocarle la frente.

Estaba fresca, la fiebre había desaparecido.

Ella se movió ligeramente bajo su toque, luego se quedó de nuevo quieta.

Alan observó su perfil delicado, la piel translúcida de los pómulos, las largas pestañas que sombreaban sus mejillas. Se veía indefensa en la inconsciencia del sueño. Indefensa y hermosa. Pensó que debía regresar a su habitación, pero ¿Y si la fiebre regresaba? Era improbable, y tuvo que admitir para sí que la verdad era que no tenía ningún deseo de levantarse de donde estaba...

El pantalón deportivo y la camiseta que llevaba puestos no estorbaban, además él estaba acostumbrado a dormir en peores circunstancias. Tiró con delicadeza de la cobija y se cubrió, luego estiró el brazo hacia el interruptor y apagó la luz.

CAPÍTULO III

Cuando volvió a abrir los ojos era de mañana.

Chiqui le daba la espalda, de pie frente a la ventana. Su fina silueta destacaba sobre el fondo iluminado por la luz del día. El pijama que se había puesto la noche anterior tenía pantalón largo y una casta camiseta, aun así se veía increíblemente sexi, al mismo tiempo que dulce. Era una sensación extraña... Él se había despertado en varias oportunidades en la cama de una mujer, saciado de sexo y, si bien agradecido, también algo hastiado y con ganas de regresar a su casa lo más pronto. Pero los sentimientos que experimentaba en aquel momento eran totalmente distintos. De pronto comprendió que aquella escena no tenía nada de trasfondo sexual, al contrario, parecía más bien hogareña. Él, soñoliento y tratando de mantener a raya su acostumbrada erección matutina, mirando con ternura a aquella muchacha que, sin proponérselo, estaba despertando sus instintos más protectores. No, la verdad que era una sensación totalmente nueva.

Algo debió alertarla, pues se giró a mirarlo, y durante un segundo él creyó ver una sombra de tristeza en el fondo de aquellos ojos dorados. Pero fue solo un instante, pues una deslumbrante sonrisa iluminó sus rasgos, y él pensó que lo había imaginado.

—¡Buenos días!

—Buenos días, pequeña ¿Cómo te sientes?

—Muy bien ¡Desaparecieron la fiebre y el malestar!

—Me alegra...

Le regaló una sonrisa cargada de alivio, luego comenzó a estirarse con un ronroneo de satisfacción. La verdad era que se sentía extrañamente contento, y no sabía por qué.

Chiqui miró turbada como se desperezaba con ganas, los brazos hacia arriba y tensando su largo cuerpo, desplegando inconscientemente una arrolladora masculinidad. Lo vio aflojar los músculos con un suspiro de bienestar, luego hizo a un lado las cobijas y se levantó, el pelo alborotado, los párpados ligeramente hinchados por el sueño, descalzo y con la ropa desordenada... Chiqui nunca pensó que alguien tan desaliñado pudiera parecer tan atractivo. Sintió un aleteo en el bajo vientre, una oleada de calor que la llevó a voltearse para mirar de nuevo hacia afuera de la ventana, muy incómoda.

Alan se preguntó qué observaría ella con tanto interés, pues lo más notable que ofrecía el panorama era la visión de la pared del frente, de ladrillos tostados. Parecía que algo la estaba perturbando. Al fin se giró y forzó una sonrisa.

—Lamento que hayas tenido que pasar una noche incomoda, cuidando a una enferma. Me di cuenta esta mañana... Que te quedaste, digo. Podías haber regresado a descansar a tu habitación, anoche ya había mejorado.

Así que era esto lo que la tenía contrariada.

— ¿Incómodo, acostado como un príncipe en una cama mullida bajo cobijas tibias? — Y al lado de una hermosa mujer, hubiese querido añadir, pero se calló a tiempo. Lanzó una breve carcajada.

—Chiqui, en mis guardias he tenido que dormitar por ratos sentado en una silla, o en el piso, sobre una triste colchoneta y sin abrigo.

Ella sonrió ligeramente.

—Gracias por preocuparte por mí.

—¿Qué hacemos hoy? —Inquirió acto seguido —Nos perdimos un amanecer glorioso, pero el día promete ser espléndido.

—No planifiques mucho porque después de tener una fiebre tan alta estás un poco débil, así que lo tomaremos con calma.

Ella abrió los ojos como platos.

—No pensarás que, estando en Las Palmas, pasaré otro día encerrada en estas cuatro paredes — anunció escandalizada.

—No tanto como estar encerrada, pero tampoco saldremos a patear calles —contestó él, imperturbable.

Ella hizo una mueca, pero terminó asintiendo, pues en verdad se sentía un poco decaída.

—Está bien —convino desanimada—, pero no hables en plural. Viniste a tomar sol, no hace falta que padezcas a mi lado.

—¡Y sol tomaremos, eso no cansa ni me hará padecer! —Él la miró sonriendo—. Podemos dar un paseo por la orilla del mar, luego quedarnos en las reposeras del hotel gozando del panorama. Después veremos, dependiendo de cómo evolucionas. Una siesta... Dar otro paseo... Ya se verá.

—¿No quieres conocer la ciudad? Estás de vacaciones, no para perder tiempo.

—¿Y cuál es la prisa? —Él abrió los brazos con énfasis— ¡Tenemos quince días para disfrutar!

Se calló y la miró levantando las cejas.

—Por lo menos yo los tengo...—añadió, dudoso— ¿Y tú, ¿cuáles son tus planes?

La idea de que ella necesitara irse pronto calmó su entusiasmo. Para su alivio Chiqui contestó:

—Yo también estoy de vacaciones, tengo todo el tiempo del mundo.

Sonrió, pero, tal como antes, a Alan le pareció que la sonrisa no llegaba hasta sus ojos. De nuevo la impresión fue tan breve que creyó haberse equivocado.

—Bien, entonces después de usar un momento tu baño, subiré a ducharme y cambiarme de ropa. Nos reuniremos abajo ¿Qué te parece?

—¡Excelente plan, doctor! Como usted mande —bromeó ella.

—Ropa liviana, sandalias y pocos efectos personales— añadió minutos después, cuando Alan ya abría la puerta de salida.

—Así será, señorita guía indígena.

Y con estas palabras jocosas se despidió.

Rato después Chiqui lo guío hacia una pequeña vivienda anexa al hotel, distante unos cincuenta metros de la orilla del mar. La construcción armonizaba perfectamente con el edificio principal, con su techo de tejas y ventanas de pared a pared. Adentro, los recibió un empleado, quien les entregó un albornoz y una bolsa plástica donde guardar su ropa, la cual le entregaron después de cambiarse en los vestidores. El hombre las dejó en un casillero numerado y les dio una ficha, junto a un par de gruesas toallas.

Desayunaron bajo un toldo, gozando de la brisa marina, la tibiez del sol y la incomparable vista. El servicio y las instalaciones eran excelente, la comida también. Veinte puntos para Kayden McKey, pensó Alan mientras se quitaba la bata. Se estiró en la reposera acolchada, satisfecho, pero su tranquilidad fue perturbada por la visión de Chiqui, quien lo imitó. Era delgada sí, pero el traje de baño negro, entero, resaltaba la suave redondez de sus senos y la fina cintura. Las piernas eran perfectamente torneadas, terminaban en unos finos tobillos. Con gestos mesurados, se tendió a su lado y respiró profundamente, alzando el rostro hacia el sol, con los ojos cerrados.

—Esto es maravilloso —murmuró girando hacia él el rostro sonriente, inconsciente de las ganas que tenía su compañero de arrancarle el traje de baño para poder observar a satisfacción su cuerpo completo. Aquella luminosa sonrisa coronó su atractivo, tornándola irresistible. A la clara luz del día él se dio cuenta de que en sus ojos dorados bailaban motitas verdes parecidas a escarchas, que le conferían un color irisado y cambiante.

—Si —murmuró Alan, incapaz de añadir media palabra más. Se giró boca abajo, necesitando esconder su evidente perturbación, y apoyó la mejilla en las manos, observando su perfil. El deseo físico no era nada nuevo para él, pero aquella mezcla de ardor, ternura y ganas de acunarla en sus brazos como si fuera una niña desvalida, sí lo eran. ¿Qué le pasaba con aquella muchacha? Cerró los ojos y se centró en los sonidos del entorno, el murmullo de las olas, las voces apagadas de los otros bañistas... Desconectó su mente y se dejó invadir por un sereno sopor.

—Sé que el ruido de las olas no tiene nada que ver con violines —la voz de la muchacha lo hizo volver al presente— pero en momentos como estos, siempre lo asocio con Serenade...

—¿Te gusta Schubert? —Él abrió un ojo.

—Sí. No puedo decir que sea una experta en música clásica, pero hay piezas que me dejan traspuesta.

—No hay que ser expertos para amar la belleza. Yo no entiendo mucho de pintura, pero enmudezco de emoción frente a un cuadro de Van Gogh...

Ella lo miró sorprendida.

—¡Es mi pintor favorito! Su "Noche estrellada" me parece incomparable...

Este fue el comienzo de una conversación que los entretuvo un buen rato y no decayó en ningún momento. Hablaron de arte, libros, hasta de colores de autos deportivos y en qué medida era aconsejable usar la mostaza como condimento.

Alan vigilaba la temperatura de la muchacha, en un par de ocasiones le apoyó la mano en la frente, pero la piel de Chiqui seguía fresca.

Ambos, de vez en cuando echaban una mirada a sus respectivos teléfonos móviles, solo para revisar si había algo importante, del resto los aparatos quedaron olvidados.

El día era agradable y el aire luminoso, si bien una capa clara de nubes filtraba por ratos los rayos del sol. Tomaron el almuerzo ahí mismo, y luego de dar un paseo por la arena húmeda de la orilla, dormitaron presas de un agradable amodorramiento. Admiraron el ocaso, y luego de cambiarse y cenar en el comedor, se retiraron a sus respectivas habitaciones, pendientes de ver el amanecer al día siguiente.

—¡El que se despierta antes llama al otro! —Fue lo último que le dijo Chiqui cuando el ascensor la dejó en su piso.

Alan la besó en la mejilla y asintió sonriendo. Cinco minutos después, cuando fue a cepillarse los dientes, al mirarse al espejo se dio cuenta que seguía con la misma sonrisa bobalicona estampada en los labios.

Ninguno de los dos se despertó a tiempo.

Ninguno de los dos le dijo al otro que se había desvelado un buen rato repasando el día que habían vivido juntos...

Cuando se reunieron salieron a explorar, y Chiqui fue su guía. No le mostró la parte de la ciudad que todos los turistas conocían, sino que lo llevó por callecitas sinuosas donde las casas se apiñaban, con las fachadas repletas de canteros florecidos. Le mostró pequeñas tiendas donde los artesanos, sobre todo mujeres, creaban maravillas con las palmas, trenzándolas para luego elaborar cestas, esterillas, sombreros y hasta cunas para bebes, que posteriormente eran llevados a los sitios frecuentados por turistas. Para almorzar, lo llevó a un humilde tenderete donde degustaron la mejor sopa de mariscos que él hubiera probado jamás.

El anochecer los pilló cerca de un teatro al aire libre que anunciaba una obra cómica. Decidieron verla, y se rieron a más no poder con las peripecias de un pobre amante engañado. Salieron tomados de la mano, y así siguieron hasta despedirse, tarde en la noche.

Por si acaso, dejaron recado en la recepción para que los despertaran a las cuatro y treinta. Esta vez él al despedirse la besó en los labios. Fue un beso suave y rápido, pero los dejó a ambos con el anhelo de querer más.

Alan dio vueltas y más vueltas antes de dormirse, confuso antes los pensamientos que lo embargaban: el recordar el roce de sus dedos en la piel del brazo de Chiqui, el aroma de su cabello, el contacto leve sobre sus labios...

Chiqui no dio tantas vueltas, pero suspiró largo tiempo mirando el techo, recordando la forma como él echaba hacia atrás la cabeza al reír, la firmeza con que enroscaba su mano de largos dedos con los suya, el aleteo de sus escandalosas pestañas. Repasó todos los roces ocasionales que se habían producido durante el día, acercando sus pieles, y sobre todo volvió a sentir el toque cálido y fugaz de su boca...

Cuando el teléfono repicó para despertarlos, ambos estaban con mucho sueño, pero saltaron de la cama sin dudar.

Cuando salieron al exterior, Chiqui, a pesar de estar bien abrigada con cálida ropa deportiva, se estremeció con el frío de la madrugada.

—Tal vez salir tan temprano no haya sido buena idea —murmuró él, dudoso— ¿Y si te vuelve la fiebre?

—No volverá —contestó decidida—. Y en dado caso habrá valido la pena. Por nada del mundo me perderé este espectáculo.

—Oye, que el sol no se mudará de galaxia — rio él rodeándole los hombros—. Habrá muchos otros amaneceres.

—Pero este no, este nunca más volverá —dijo ella en voz baja.

Alan no pudo contradecirla. Mientras avanzaban hacia la orilla del mar, Chiqui no parecía molesta porque él la estuviera abrazando, al contrario, le rodeó la cintura con su brazo izquierdo y se dejó llevar. Se dirigieron hacia las mesas, Alan la soltó para unir dos tumbonas una pegada a la otra, bajó los apoyabrazos laterales y situó los respaldares a media altura. Se recostó golpeando con la palma el espacio a su lado, Chiqui no se hizo rogar, se acostó y apoyó la cabeza sobre el hombro que él le ofrecía en silencio. Sus cuerpos quedaron unidos lateralmente, cadera con cadera, las piernas pegadas al otro. Ninguno de los dos se sintió incómodo por aquella intimidad, más bien gozaron de la tibiez que estaban compartiendo, como si fuera algo natural, como si estuvieran acostumbrados al hecho.

En perfecto silencio, observaron como las estrellas palidecían, y el horizonte de negro pasaba al gris, mientras el resto del cielo permanecía oscuro. Luego los colores comenzaron a confundirse, a mezclarse en una perfecta sinfonía universal. Celeste, rosa pálido... El rosado se intensificó hasta el púrpura, entonces asomó el amarillo, que fue aumentando de tono mientras un sol todavía dormido besaba la línea del lánguido horizonte y asomaba al borde del agua.

Chiqui se incorporó lentamente y se sentó, cruzando las piernas. Estiró su mano y buscó la de él, y Alan la capturó, apretándola.

—Es demasiado maravilloso —susurró la joven, embelesada.

—Sí —contestó él, igual de fascinado —¿Has visto otros amaneceres?

—Sí, varios. Pero siempre es la misma emoción.

Ella lo miró un momento, sus ojos iluminados como el cielo que se despertaba. Y Alan cayó en cuenta, distraídamente, de que no llevaba anteojos. Almacenó el dato en un rincón de su mente, y siguió observando el espectáculo incomparable que le ofrecía la naturaleza.

—Así es, estoy de acuerdo contigo...

Estuvieron largos minutos mirando, en silencio. Por momentos, él se quedaba observando el perfil de la muchacha, amparado por su posición, pensando que los dos espectáculos eran igualmente encantadores. Entonces estrujaba ligeramente su mano, y ella contestaba al apretón.

La luz dorada venció una vez más las tinieblas de la noche, el entorno se fue iluminando.

De pronto Alan sintió que Chiqui se envaraba. La vio parpadear, se giró con lentitud y lo miró atónita, como si fuera la primera vez que lo veía. Miró sus manos enlazadas, a él y de nuevo sus manos. Observó el entorno, con las cejas fruncidas, el mar, el hotel... Abrió la boca como si quisiera decir algo, pero no profirió ningún sonido.

—¿Pasa algo? —Alan se incorporó también y la miró extrañado.

Ella batió varias veces las pestañas, luego se pasó una mano por la cara.

—¿Chiqui?

La muchacha respiró profundamente y forzó una sonrisa. Lo miraba como si acabara de salir de un sueño.

—No... Tranquilo... Todo está bien.

Pero su voz temblaba, y en el fondo de sus ojos Alan vio algo raro, algo como... Miedo mezclado con una profunda desolación.

—¿Estás segura? Te veo alterada.

Él se arrodilló en la tumbona y la tomó por los hombros.

—Algo te pasó, no me digas que no.

—Es la emoción...—Chiqui negó moviendo la cabeza y el movimiento hizo desbordar las lágrimas que tenía acumuladas en los ojos.

—¡Estás llorando!

—Sí, sí... Es que —Ella le dedicó una de sus maravillosas sonrisas— ¡Todo es demasiado hermoso!

Se recostó en el pecho de Alan y él sin dudar un segundo la abrazó con fuerza, descubriendo con deleite la forma tan perfecta como encajaban. Seguía perplejo, pero el placer de su cercanía era demasiado poderoso, y se centró en esto, aceptando que ella era muy emotiva y lloraba porque el espectáculo que acababan de presenciar la había conmovido. Ella le rodeó el tórax con los brazos, tratando de mantener bajo control la maraña de emociones que la embargaban. Los latidos fuertes y parejos del corazón de Alan le transmitieron fortaleza y seguridad. Se sintió confortada, a salvo. Respiró profundamente y se tragó las lágrimas, luego lo acarició con la mejilla, y aspiró con placer el olor masculino que emanaba de su pecho. Después de esto no pudo ya esconder la fuerte atracción que sentía por él. Enderezó la cabeza y lo miró a los ojos, titubeando.

Alan tampoco logró esconder el deseo que sentía, solo que el suyo era bien evidente... Bajó la cabeza y se encontró con la boca anhelante de la muchacha. El beso al principio fue suave, luego fue profundizando. El uno buscaba al otro con creciente ardor. Alan la apretó con fuerza, y ella se estremeció al sentir su erección rozándole el vientre. Fue aquel estremecimiento lo que lo hizo reaccionar. Sabía que si en aquel momento le propusiera subir a su habitación ella probablemente no se hubiera negado, pero ¿Cuánto de aquel deseo no se debería a la emoción que acababan de experimentar? Su cuerpo la ansiaba con desesperación, pero no tenía seguridad de que la respuesta de ella no fuera condicionada por el momento particular y no quería equivocarse. Si se acostaban juntos quería que la disposición de Chiqui fuera clara e inequívoca. Por ello se desprendió suavemente de su boca, pero no la soltó. Recostó de nuevo la cabeza en su pecho y siguió abrazándola con ternura, acariciando su espalda y meciéndola suavemente.

—Hace tiempo que no vivía un momento tan mágico, Chiqui. Nunca lo olvidaré.

—Sí, fue hermoso.

La muchacha suspiró y se separó, aunque mantuvo sus manos entre las de él. Miró unos segundos el horizonte, luego su reloj de pulsera.

—¿Ahora qué hacemos? —Inquirió— Son las seis y media... Podemos prepararnos para salir de excursión —lo miró dudosa— ¿O tú quieres volver a dormir?

—No —contestó Alan—. Estoy totalmente desvelado ¿Ducha, desayuno y salida?

Ella le regaló una de sus espléndidas sonrisas. Sin contestar, levantó la mano derecha, y él de inmediato la imitó. Chocaron palmas, cerrando el acuerdo.

Dos horas después andaban por las calles de la ciudad, tomados de la mano, observando tenderetes y vitrinas. Alan escogió una chuchería para su hermana y, tras sugerencia de la muchacha, le compró a su madre una hermosa blusa adornada con calados finos, como tela de araña y a Chiqui unos zarcillos de plata labrada que le vio admirar con ojos brillantes. Él mismo se los colocó, y al rozar la piel de su cuello comprendió que la atracción sexual que había experimentado aquella mañana no solo era más fuerte que nunca, sino que era recíproca. Y con el paso de las horas no les quedó ninguna duda.

Se descubrían observándose en silencio, mientras la muda y tierna complicidad de los seres que se atraen irremediablemente se instalaba entre los dos y los conectaba más allá de lo físico. Trataban de desligarse de aquellos instantes reveladores regresando su atención al panorama, a una vidriera o a la comida que tenían en el plato. Hablaban banalidades y el otro fingía interés, mientras la antigua magia del amor los envolvía ineludible, por más que quisieran rehuirla con giros bruscos en la conversación.

En la tarde, agotado por aquel fingimiento emocional, Alan la guió en silencio hacia donde habían dejado el auto de alquiler. Chiqui no protesto, no preguntó. Se dejó llevar tomada de su mano. Rodaron mudos hasta la solitaria calle que subía hacia el hotel, ahí Alan detuvo el vehículo a un lado del camino y se giró hacia ella.

No hicieron falta palabras, Chiqui sencillamente se lanzó a sus   brazos y él la recibió.

El beso profundo y apasionado rompió la angustia de la espera, pero aumentó el anhelo hasta el límite, dejándolos temblorosos y jadeantes.

—No puedo dominar el deseo que siento por ti —balbuceó Alan cuando finalmente soltó sus labios para tomar aire—. Desde esta mañana estoy viviendo una agonía.

Chiqui no contestó con palabras. Lo miró con ojos turbios y volvió a ofrecerle sus labios entreabiertos, que él capturó de nuevo.

—Vamos arriba —suspiró ella en su boca, cuando se volvieron a separar.

Sin hacerse rogar, Alan la soltó y le dio al encendido con dedos temblorosos. Un valet se hizo cargo del vehículo a la entrada del hotel. Ellos se dirigieron a los ascensores tratando de esconder su turbación. Subieron hasta la suite donde se alojaba él, y al cerrar la puerta a sus espaldas se buscaron con la mirada, como si temieran que el deseo anterior fuera un sueño efímero. No, ambos se tendieron los brazos pero, a pesar de la premura, el beso fue tierno y lento, mientras las manos buscaban, exploraba, descubrían.... Ahora que habían cruzado el umbral del acercamiento necesitaban conocerse, revelar los misterios que el otro le reservaba. Chiqui se deleitó con el tórax fuerte y musculoso, la dureza de las nalgas bajo sus palmas, el sentir por completo la presión del cuerpo masculino contra el suyo, piernas, muslos, caderas... Alan medía la finura del torso de ella, la suavidad de la piel de su espalda, las curvas apenas pronunciadas de los senos y las caderas... El deseo aumentó el ritmo, los movimientos adquirieron celeridad, el beso se profundizó hasta dejarlos sin aliento. Alan la levantó y Chiqui le enlazó la cintura con las piernas y el cuello con los brazos. Apenas pesaba, descubrió él mientras la llevaba hacia el dormitorio, sin separar los labios de los de ella. Cerca de la cama la soltó suavemente y de un solo gesto le alzó el borde de la blusa, se la quitó y la lanzó lejos. Hundió el rostro en la curva del cuello, aspirando su olor a mujer y sol, con un ligero resabio a sudor y le desabrochó el sujetador, una nubecita de encaje blanco. Buscó con los labios sus senos pequeños, perfectos para abarcarlos con la palma de la mano ahuecada, deleitándose con su textura aterciopelada y con el gemido ronco que salió de los labios femeninos mientras los mordisqueaba hambriento. Ella le sacó la camiseta, acarició el tórax musculoso, luego alcanzó el cierre de los pantalones y se afanó hasta que la prenda se deslizó de las caderas. La rígida sexualidad de Alan quedó liberada y Chiqui la recibió en sus manos, la acarició de arriba abajo, luego apretó con suavidad, haciéndolo jadear. Él comprendió que la deseaba de tal manera que, una sola caricia más y se derramaría ahí mismo antes de tiempo, por tanto, se apresuró a recostarla suavemente en la cama y así alejarse de aquellas manos que acicateaban despiadadamente su necesidad. Enganchó el elástico de los pantalones de lycra que Chiqui llevaba y los bajó llevado consigo la panty. Observó su gloriosa femineidad expuesta, entonces buscó sus senos con avidez, haciéndola temblar y gemir de deseo.

Chiqui se abandonó a las sensaciones que la hacían vibrar. Una llamarada quemaba y hacía palpitar el centro de su ser. Deseaba que él apagara rápido aquel ardor, y al mismo tiempo quería que aquella exquisita tortura durara para siempre. La cálida lengua masculina se deslizaba por su piel, atormentándola. Se envaró un momento cuando la sintió rozando su vello púbico, hurgando para descubrir sus secretos ocultos. Fue solo un momento, luego se abandonó y dejó que él le separara los muslos y la explorara con avidez. Hundió sus dedos en el cabello de él, gozando con el contacto sedoso, y por más que quiso retener la ola que la llevaba en volandas hacia el centro del universo, no pudo hacer otra cosa que abandonarse al placer maravilloso que él le provocó. Cuando los espasmos se detuvieron, y ella se abandonó con un suspiro, Alan se enderezó y con una mirada de masculina satisfacción, la envolvió en un abrazo y rodó sobre su cuerpo, apretándola, sofocándola con su evidente deseo. Sus manos estaban por todas partes, y Chiqui de nuevo comenzó a jadear, arrollada por aquella pasión que él despertaba y que anulaba cualquier pensamiento cuerdo.

—Yo... Tomo anticonceptivos —murmuró cuando lo vio estirar una mano hacia la mesa de noche y buscar un envoltorio plateado.

Él abandonó la funda y de inmediato estuvo con ella, besándola con pasión mientras la cubría con su cuerpo. La miró con ojos turbios mientras comenzaba a penetrarla. Chiqui abrió los ojos un momento y le lanzó una mirada de sorprendido temor, tan breve que él no tuvo tiempo de analizarla, pero la barrera que se encontró al paso le hizo comprender.

—Pero...

Se retiró y se apoyó sobre los antebrazos, de repente dueño de todos sus sentidos.

—Tu nunca...

Chiqui lo miró... Sí, con mortificación.

—No... Pero, por favor, Alan, no te lo tomes a mal. Sé que, para ustedes, los hombres, es una molestia... Pero...

—¿Molestia? —Él parpadeó, confundido. No entendía nada.

—Desde el liceo, mis compañeras hablaban de la virginidad como una carga, que a los hombres le fastidia... Eliminar —Chiqui, apenada, eludió su mirada— Pero yo, hasta ahora, no sentía que había llegado el momento, ni la persona adecuada. Sólo contigo, sentí...

—Dios mío ¡no puedo creer lo que estoy escuchando!

Alan la calló con un beso tierno y prolongado. Ella lo había entendido todo al revés, pero no era el momento de hablar.

Luego.

Ahora, con caricias y besos, se limitó a avivar nuevamente su deseo. La estimuló con cariño y ternura hasta que la sintió de nuevo vibrar entre sus brazos. Él no necesitaba ninguna incitación, ya que a duras penas se estaba conteniendo. Su corazón retumbaba cuando de nuevo comenzó a penetrar su calor y humedad.

— Mírame, Chiqui...Por favor, mírame...

Ella trató de enfocar su mirada extraviada y anhelante en su rostro. Alan, sin palabras, la había llevado nuevamente hacía lugares donde no existía la duda ni los titubeos, solo aquel placer que la inundaba.

—Quiero que nunca olvides este momento, ni el placer que me estás dando...

Sintió que Alan la penetraba mientras murmuraba aquellas palabras, de una vez, sin titubeos, sin alargar su dolor. Retuvo el aliento, pero se fue relajando bajo sus caricias y las tiernas frases que él le susurraba. La llamarada de ardor se apagó un poco, mientras su interior se acostumbraba a la invasión. A la molestia se le sobrepuso una oleada de urgencia que aceleró su respiración y la hizo jadear. Con los labios entreabiertos lo miró un momento, y quedó cautivada por la expresión de puro éxtasis pintada en el rostro del hombre que le estaba haciendo el amor.

Y es que Alan, cuando entró en las dulces profundidades que nadie antes de él había explorado, retuvo el aliento, preso de un placer tan desquiciante que todos sus músculos se tensaron. Luego comenzó a moverse lentamente con una sola premisa: fundirse en aquel cuerpo femenino, en su alma y en cada uno de sus sentidos, para que ella nunca olvidara aquella tarde. Jamás en toda su vida había sentido nada igual, jamás pensó que podía vibrar con esa armonía tan abrumadora, nunca se había estremecido con tanta pasión y tanto sentimiento. Jadeó, tomándola con tal ímpetu, con tal abandono que aquel acto dejó de ser corpóreo para trascender a un nivel más profundo. Cautivados y trémulos por las sensaciones que los estremecían, ambos aceleraron sus movimientos, intensificándolos, liberando todo el salvaje apremio que los embargaba. Chiqui salía a su encuentro con cada acometida, alzando sus caderas para recibirlo por completo, rindiéndose de forma total, como él, a aquella exaltación que los envolvía, implacable. Alan quería aguantar, resistir hasta que su compañera se uniera a él en el desborde del placer, pero no pudo contenerse, y se derramó en su interior con un quejido de liberación. Y fue el dulce calor que la inundó lo que aceleró la respuesta del cuerpo femenino, enlazando su goce en un mismo sollozo lleno de un placer ilimitado y de una violenta emoción.

CAPITULO IV

La mirada de Alan se deslizaba perezosamente por el rostro femenino. Parecía fascinado por sus ojos, pues ahí se demoraba más, analizando cada mota, cada reflejo dorado, luego bajaba lentamente por la nariz, las mejillas, el cuello, el nacimiento de los senos... Más abajo no podía llegar sin moverse, y no tenía ninguna intención de hacerlo. Estaba apoyado sobre el codo izquierdo, con las piernas enlazadas con las de ella y el brazo derecho rodeándole posesivamente la cintura. Ambos estaban embargados por el dulce cansancio que le sigue al amor, desconectados del mundo y atrapados en su universo particular donde, por el momento, nadie más tenía cabida.

—¿Qué piensas? —preguntó Chiqui en voz baja, al verlo con aquella ligera sonrisa que relajaba sus rasgos.

—Pensaba en el hermoso regalo que acabo de recibir.

—Entonces ¿No fue demasiado...Fastidioso para ti?

A pesar de su expresión pícara, había cierta ansiedad en la voz de Chiqui. Sí, había percibido el profundo placer que lo embargaba, igual al que ella había experimentado, pero no tenía la experiencia sobre el tema ni la malicia suficiente para saber hasta qué punto acertaba o se equivocaba en su apreciación.

Él se relajó sobre la almohada, pasó su brazo debajo del cuerpo femenino, la abrazó fuerte y se giró supino, llevándola consigo.

Chiqui se acomodó sobre su cuerpo, sintiendo el calor de su piel bajo la suya, el contacto completo de sus largos miembros.

—Lo malo de esta época es que   los jóvenes, en su prisa por vivir, distorsionan el sentido de ciertas experiencias que en el momento justo resultan maravillosas — murmuró él acariciándole la espalda— Y no saben lo que se pierden. ¿Una carga la virginidad? ¿Un trabajo fastidioso eliminarla? ¡Mi preciosa chiquita! me siento privilegiado de que haya sido yo. Tengo que darte las gracias por haberme esperado.

Ella alzó la cabeza

—Nunca voy a olvidar esta tarde, Alan — Le dijo con timidez.

Se incorporó ligeramente para buscar sus labios, y él le salió al encuentro. Cuando se separaron, Chiqui volvió a su lugar rozando y lamiendo la piel de su cuello y del pecho. Encontró la tetilla y la mordisqueó. Al instante sintió como su virilidad crecía debajo de ella.

—Humm no se mucho del tema, pero creo que eres algo depravado, doctor Morris. De nuevo andas... Digo yo, creo que...

Él soltó una carcajada ronca.

—Es que tú estás jugando con fuego —murmuró risueño — sigue estimulándome así y verás.

—El   acercamiento a este fuego no fue nada desagradable —contestó ella con una tierna mirada que lo derritió—. Pero, a pesar de que te luciste un par de veces, sí, creo que es mejor esperar un poco más.

—Me alegra que te gustara tanto como a mí —dijo él al tiempo que se giraba para volver a tenerla debajo —sé que estás dolorida, y si recomenzamos ahora puede que te resulte algo molesto. Más tarde, digamos... ¿Después de cenar?   La miró torcido, pícaramente, mientras se incorporaba y se sentaba con las piernas cruzadas —Por cierto... Para ser principiante sabes muy bien cómo empujarme hacia la depravación.

—Tampoco vivimos en el Medio Evo —contestó ella alegre, sentándosele al frente —Hay montones de literatura erótica, por ahí.

—¿Y a pesar de esto seguías con tus temores? ¿En ningún lado leíste lo privilegiado que se siente un hombre cuando desflora a una virgen?

—Solo en las novelas románticas, pero pensaba que los autores exageraban.

—Pues no, deberías tenerles más fe a los autores románticos. Saben lo que dicen —Se acercó a ella y rozó sus labios con un beso leve, tierno

— ¿Pedimos la cena? —Inquirió, sobre sus labios.

Chiqui lanzó una mirada al reloj digital y abrió mucho los ojos.

—¡Santo cielo, son las diez! —Exclamó sorprendida— No me imaginaba que fuera tan tarde.

—Sí, ¡la tarde voló! — Él rio con gusto, mientras llamaba al servicio de habitaciones.

Mientras, Chiqui miraba con pena y disgusto el estropicio que había en la cama. Le hizo una seña mientras retiraba las sabanas y las cobijas revueltas y hacía un envoltorio.

—Ah, sí perfecto —dijo él en la bocina—. Y, por favor, mande una camarera para que cambie la ropa de cama...Bien, gracias.

Alan la había estado observando con admiración. Estaba totalmente desnuda, pero parecía ni darse cuenta. Se movía con desenvoltura, mostrando sin reservas sus senos, el vello púbico y las prietas nalgas. Él gozaba con el espectáculo, y al mismo tiempo se extrañaba por sus pocas inhibiciones.

La muchacha recogió su ropa y la apiló prolijamente junto al bolso, rescatado cerca de la puerta de entrada, luego manifestó la intención de darse una ducha.

Debajo del chorro de agua tibia repasó aquellas horas únicas que acababa de vivir, aquella experiencia maravillosa. Estaba contenta de no haber sucumbido a las presiones de sus diferentes admiradores. En lo más profundo de su ser, siempre supo que cuando llegara el hombre adecuado ella lo reconocería, tal como le dijo una vez una mujer de su familia. Se había sentido atraída por Alan en el mismo momento en que lo vio, en el pasillo del hospital, cuando él la levantó en volandas y sus ojos se encontraron. Una situación bochornosa de la que huyó lo más pronto posible, llevando consigo la imagen de aquel hombre que le había movido el piso. Y cuando se encontraron nuevamente a miles de kilómetros de París, reconoció que el destino, o los hados o lo que fuera, la estaban empujando por el camino a seguir. Cuando lo vio, le costó horrores mantenerse tranquila y no manifestar toda la emoción que la embargaba, pero ahora todos los sentimientos reprimidos se desbordaron, y Chiqui comenzó a llorar. Una mezcla de felicidad y pesar la hizo sollozar suavemente, y no escuchó la puerta de la ducha que se deslizaba.

Si no hubiese sido por el sollozo que hizo temblar su pecho, Alan hubiera confundido sus lágrimas con el agua que bajaba de la regadera, pero ahí no cabía error.

—¿Chiqui? —Extrañado, le apoyó las manos en los hombros.

La muchacha abrió los ojos de golpe y se encontró con la expresión confundida de Alan. No valía la pena mentir, él ya se había dado cuenta de que estaba llorando, por tanto, forzó una sonrisa.

—Mi terapeuta me dijo una vez que no es bueno reprimir las emociones, que debemos dejarlas fluir.

—¿Estás en terapia? —Alan preguntó no tanto por curiosidad, sino para darle pie a que ella siguiera explicando qué le sucedía.

—Lo estuve hacen años, cuando murió mi madre.

Dicho lo cual, la muchacha tomó el jabón líquido y después de verter un poco en el guante, comenzó a enjabonarle el pecho. No parecía dispuesta a ahondar en el tema, pero Alan estaba algo descolocado, pues aquellas lágrimas en un momento tan particular debían tener un motivo.

—¿Y qué emociones te abrumaron hasta el punto de hacerte llorar?

Ella giró a su alrededor y comenzó a restregarle la espalda.

—Estaba pensando en la casualidad que nos reunió de nuevo tan lejos de París. Y me causó turbación. La verdad... Me gustaste cuando te conocí, pero no me imaginaba que volvería a verte, y menos aún tan pronto, y en circunstancias tan propicias para que pudiéramos estar juntos.

Alan se giró de frente y le acarició los costados, mirándola intensamente.

—Doy las gracias al destino por haber propiciado este encuentro— murmuró sobre sus labios. Le quitó la esponja y cuando la espuma se deslizó por el cuerpo femenino, soltó el objeto y fueron sus manos las que la acariciaron con mimo.

—La comida se enfría —murmuró al fin, besándola ligeramente en los labios.

—¿Ya la subieron?

—Sí, y de nuevo la cama está impecablemente arreglada. Esperándonos.

Riendo, salieron de la ducha. Poco después, envueltos en los albornoces del hotel, comían sentados en la mesa de la sala los platillos que él había pedido un rato antes. Chiqui saboreaba de todo, pero a pequeños bocados. También rechazó una segunda copa de vino que él quiso escanciarle. Bromearon, se ofrecieron mutuamente trocitos de comida y fruta, y finalmente él sacó al pasillo la mesa rodante con los restos de su cena.

Regresaron al dormitorio. Alan vio como ella, después de pasar unos minutos en el baño, miraba dudosa su ropa, finalmente pareció decidirse y se acercó a la cama, se deshizo del albornoz y se acostó a su lado. Poco después dormía apaciblemente, con la cabeza apoyada en el hombro masculino, a pesar de que la luz del velador estaba prendida.

Alan se sentía en paz, con todos los sentidos saciados y experimentando una profunda ternura hacia la joven que tenía entre los brazos... Y que le había hecho olvidar sus reglas más básicas. Por ejemplo, en toda la tarde no había revisado su teléfono, no sabía si se había presentado alguna emergencia. Verdad que estaba de vacaciones, pero jamás se había desconectado de una forma tan completa. Suspirando y tratando de no despertarla, liberó su hombro y alargó el brazo hacia la mesa de noche donde estaba su olvidado aparato.

Se centró solo en los más importantes: en su dirección personal, un par de mensajes de su madre y de su hermana, a los que contestó con pocas palabras cariñosas. En la del trabajo, varias notificaciones de su sustituto en el hospital sobre la evolución positiva de algunos pacientes y noticias de parte de su asistente del consultorio en Boston. Y por último se decidió a abrir el mail de Kayden McKey. El pobre hombre seguía escribiéndole, y por más que a Alan le dolía lo que el otro estaba experimentando, no podía hacer nada para ayudarlo. McKey continuaba lamentándose por la falta de colaboración de su hija:

...Y por más que le he rogado con lágrimas en los ojos, Eyre no se deja convencer. No quiere siquiera escuchar la palabra operación. Doctor Logan, le pido un gran favor, escríbale usted. Sé que no es su deber, pero yo ya no sé qué decirle, y puede que a usted le escuche. Se lo ruego, atiéndeme como si fuera su propio padre que le pide este

favor con el corazón en las manos. Le añado la dirección electrónica de mi hija, ya que últimamente no responde llamadas al teléfono. Por favor, trate de convencerla, en el nombre de Dios...

Alan lanzó un breve suspiro, preguntándose de qué serviría escribirle a la muchacha, si esta no le estaba prestando atención ni siquiera a los ruegos de su padre. Además, a estas alturas ¿qué podía ofrecerle para animarla y convencerla? Un mes antes, el caso de ella era delicado, ahora era casi desesperado. Seguramente estaría ya sufriendo trastornos visuales o del equilibrio, o del olfato... Los trastornos del lenguaje y de la memoria, así como las alteraciones de la conducta y de las emociones, también eran típicos de este tipo de tumores ¿En qué estado estaría ella? Su padre no lo decía.

Suspiró de nuevo. Escribirle ¿Qué? Si ya en diciembre era un caso urgente, ahora el tumor estaría ya muy avanzado para que le diera grandes esperanzas. Operarla sería un reto, tal vez el más grande que se le presentara hasta ahora en su carrera. Se quedó pensativo, tratando de decidir qué hacer.

Chiqui se movió ligeramente, y esto hizo que él se girara a mirarla. Sonrió. Era tan bella, parecía un hada con sus rasgos delicados y aquel cabello cobrizo abierto sobre la almohada. Apagó el teléfono y la luz, cerrando sus pensamientos a la enfermedad y al sufrimiento y abrazó aquel cuerpo suave y tibio, que representaba la vida y el placer.

Chiqui se despertó sintiéndose algo apretada, como faltándole espacio. Parpadeó y descubrió el rostro de Alan a poca distancia, un largo mechón oscuro cubriéndole la mejilla. El cuerpo masculino estaba entrelazado con el suyo, los brazos la ceñían posesivamente, el muslo derecho atravesado sobre su cadera. Ella sonrió. Era la primera vez en su vida que se despertaba en compañía de un hombre, la primera vez que alguien la abrazaba con tanto ímpetu, aun estando dormido. Se movió ligeramente, buscando acomodarse, y eso fue suficiente para que él se despertara. Abrió un ojo, y al reconocerla gruñó de satisfacción y la palpó suavemente.

—Humm creía que había soñado, pero no, eres muy real—murmuró en su oído—. Y cálida, sedosa y tentadora...

Sus manos subían y bajaban por la tibia piel femenina, rozaron los senos, el vientre, las caderas. A Chiqui el toque le puso la piel de gallina y le hizo retener el aliento. Emociones recién descubiertas regresaron al centro de su ser, humedeciéndola, agudizando su sentir.

—Yo también creía haber soñado —suspiró—. Con un hombre tierno y sensible, que me hizo experimentar sensaciones maravillosas...

—¿Algo así como estas? —ronroneó él hurgando en su sexo. Le separó los labios y comenzó a acariciar en círculos su intimidad.

Chiqui jadeó y se mordió el labio inferior, centrada en la placentera expectativa que ya la asechaba.

Él se movió para poder acariciarle los senos con la otra mano, y sonrió satisfecho cuando vio cómo se tensaba bajo su toque.

—¡Alan! —Sollozó ella mientras los espasmos la sacudían.

—Aquí estoy, cariño...

Chiqui sintió como se deslizaba en su interior cuando todavía el placer aleteaba en su vientre. Aun le costaba recibirlo, pero el ligero malestar fue pronto olvidado por la maravillosa plenitud que la colmó. Entonces comprendió fugazmente que el parloteo de sus amigas sobre el sexo era puro cuento: nadie sería capaz de ponerle palabras a aquel sentir, a aquella sensación mágica de volar, de flotar en un universo irreal y algodonoso...

CAPÍTULO V

Fecha: 16 de febrero de 2017 14:55.

Para: Eyre McKey

De: A. M. Logan

Estimada Eyre

Me tomo la libertad de escribirte porque tu padre me lo pidió. Como sabes, él vino a mi consultorio, en Boston, en el mes de diciembre pasado. Trajo todos los exámenes y las tomografías que te habían hecho hasta la fecha, buscando una opinión sobre tu estado. Fui franco. El tumor que invadía tu cabeza estaba muy extendido, pero estudiando a fondo tu historia, pude ofrecerle un veinte por ciento de seguridad de que el resultado de una operación podía ser positivo. Sin embargo, por lo que dice tu padre, tú te has negado rotundamente a someterte a operación alguna, y esto lo mantiene desesperado.

Yo siempre soy sincero con mis pacientes, nunca creo falsas expectativas, y debo decirte que, si el tumor ha seguido el proceso estándar propio de estos casos, ahora, dos meses después, sintiéndolo en el alma solo puedo darte alrededor de un diez por ciento de seguridad. No es mucho, pero es una esperanza. Y, Eyre, mucha gente daría lo que fuera por tener este pequeño margen de esperanza,

Como ves, no estoy tratando de endulzarte la píldora, sino que, con   sinceridad, apelo a tus ganas de vivir para ofrecerle alguna ilusión a tu padre.

Eres muy joven, y creo que tienes el deber de intentarlo todo para llegar a vivir las experiencias que te esperan...

Había enviado aquel mail dos días antes, pero aún la joven McKey no contestaba. Levantó los ojos de la pantalla del teléfono y dejó vagar su mirada por el paisaje idílico que se abría frente a sus ojos: mar, sol, palmeras, bañistas que no se alejaban de la orilla por el veto impuesto por los socorristas, pues aquel día la brisa levantaba olas que, lejos de asustarlos, los invitaba a jugar, a desafiar las cortinas de agua que los revolcaban. Chiqui era una que retozaba feliz, uniendo sus grititos satisfechos a los de los demás cuando lograba saltar una ola, y levantándose tambaleante cuando el agua la vencía. No había verdadero peligro, las olas no eran muy grandes, y de todas formas, los empleados del hotel vigilaban con ojos de águila.

Chiqui agitó los brazos con grandes espavientos, alentándolo para que se le uniera; él asintió y le hizo señas como diciendo, ya voy.

Vida, alegría, salud... Alan dio las gracias por todo ello. No podía hacer nada para convencer a la muchacha, Eyre, y tal vez era mejor así, pues cuantos más días pasaban, más incierto sería el resultado de una operación.

Con un suspiro dejó el teléfono en la mesa donde había estado sentado debajo de un parasol, y fue a reunirse con la muchacha.

Estaba viviendo días que quedarían entre los más satisfactorios de su vida. Chiqui le había enseñado que si bien los productos de las palmas tenían un puesto privilegiado en la isla, no eran los únicos. Habían visitado tiendas de calados, de bordados, herrería, alfarería... Horas deambulando entre artesanía, playas y tenderetes de comida. Varias veces bajaron de madrugada para ver salir el sol, sin cansarse del maravilloso espectáculo que les ofrecía la naturaleza. Y más horas encerrados en la habitación, amándose sin medida ni reserva. Chiqui perdía su inocencia y aprendía de prisa, entregándose sin falsos tabúes, dando y recibiendo placer con entusiasmo, a veces teñido de melancolía. Porque era indudable que, por momentos, la envolvía una extraña tristeza, a la que no sabía o no quería darle nombre. Alan lo había notado, pero no tenía medio de descubrir los motivos, y cuando se lo hacía notar, ella respondía con una sonrisa brillante, y decía que no, no tenía ningún motivo para estar triste. A él no le quedaba otra alternativa que creerle, aun cuando a veces parecía aislarse, volar a otros mundos donde él no podía seguirla.

No había habido ningún acuerdo al respeto, pero ninguno de los dos hablaba mucho de sí mismo. Alan no tenía nada que esconder, por ello, cuando se daba la oportunidad, contaba con soltura alguna que otra anécdota sobre su vida, tomando conciencia de que Chiqui, al contrario, nunca hablaba de sí misma, ni de su familia ni de su pasado. De ella, prácticamente Alan no sabía nada. Solo una vez surgió una inevitable pregunta... Cuando él, al día siguiente de tener su primer contacto físico, le propuso que dejara su habitación y se mudara a su suite, ella se había negado rotundamente.

—No puedo hacer esto —rechazó, incómoda—. Todo el mundo se daría cuenta de que tú y yo somos... Amantes.

—Y eso ¿Tiene alguna importancia particular? — Preguntó él, extrañado— ¿Tienes algún compromiso moral que te impide acostarte conmigo?

De repente se le ocurrió que, a pesar de ser virgen, podía tener novio, o estar comprometida de alguna manera.

—Ninguno —contestó ella sin titubear—. No tengo novio, ni nadie a quien deba rendirle cuentas en este sentido, pero los empleados del hotel... Todos comprenderían.

—No estamos precisamente en el Medio Evo —le dijo él con cierta malicia. — Además, ni tú ni yo vivimos aquí, estamos de paso. Entonces, no comprendo...

Pero, en vista de que para ella el asunto parecía importante, no insistió. Y fue en aquella oportunidad que la muchacha, de rebote le preguntó:

—Y tú Alan ¿estás comprometido con alguien?

Él negó sonriendo y abrió los brazos.

—Libre como el viento. No tengo novia, ni esposa a quien le deba fidelidad.

No hubo más preguntas.

Al principio, aquel acuerdo tácito de respetar la privacidad del otro a Alan le pareció satisfactorio, pues estaban disfrutando nada más que de un delicioso interludio durante unas vacaciones. No hubo promesas, ni planes a futuro. Él no se sentía preparado para comenzar una relación seria. Su trabajo lo llevaba a viajar mucho, y lo menos que necesitaba era un compromiso firme y menos ¡Ni lo quisiera Dios! Una pareja celosa que le amargara la vida debido a sus viajes. Chiqui, por su parte, respondió a su pasión con entusiasmo y sin exigirle nada, lo cual estaba muy bien... Por lo menos los primeros días. Luego, cuando la miraba, una vaga inquietud se adueñaba de él. No sabía nada de ella, ni siquiera su apellido. ¿Dónde vivía? Aparentemente en París, pero ¿Dónde, exactamente? ¿Estudiaba, y si era así qué estudiaba? ¿Quiénes eran sus padres? ¿En cuál ciudad de Estados Unidos residían? Él mismo se regañaba por tanta curiosidad, pues se suponía, tácitamente, que al terminar las vacaciones cada uno seguiría con su vida.

Por otra parte, la muchacha no parecía dispuesta a abrirse. Cada vez que se presentaba la oportunidad de hablar de sí misma, contestaba vagamente, sin comprometerse. Por ejemplo, cuando él le habló de unas vacaciones pasadas con su familia en las montañas Rocosas, explayándose sobre este o aquel lugar y le preguntó si los conocía, ella contestó parcamente que sí, había hecho una excursión por el sitio y habló de sus impresiones. Ni una sola palabra sobre con quién andaba, ni cuándo.

Todo esto comenzó a incomodar ligeramente a Alan. ¿Chiqui tenía algo que esconder? Por lo poco que le había dicho, no tenía ningún compromiso sentimental, entonces ¿Por qué tanto misterio? Bueno... Tampoco tenía el deber de hablarle de sí misma ¿En qué momento acordaron que debían contarse vida muerte y milagros uno del otro? Él tampoco se pasaba el día hablándole de sus cosas. Se conocieron, se gustaron y estaban teniendo una aventura. Lo cierto era que aquello comenzaba a molestarle. Se estaba acostumbrando a despertarse a su lado, a sentir su calor, al roce de su piel aterciopelada, sus muslos esbeltos aprisionados entre los suyos.

Despertarse así, como aquella mañana, con el deseo bullendo en sus venas y sabiendo que ella saldría gustosa a su encuentro...

A Chiqui le encantaba sentir su deseo, ver aquella mirada profunda y anhelante fija en ella. El pene, grueso y palpitante, latía contra su muslo, reclamando satisfacción.

—Buenos días, chiquita. Es una mañana preciosa y brilla el sol —murmuró él con voz soñolienta.

—¿Cómo lo sabes, si las cortinas están casi completamente cerradas y apenas entra un mísero rayo de luz? —sonrió ella.

—Porque tus ojos brillan y lanzan rayos dorados. Tú eres mi sol particular.

—¿Quieres echártela de trovador? —rio.

—Soy un trovador, que finalmente encontró a una doncella que lo tiene cautivado, y a la que voy a rescatar del aburrimiento sexual en el que estaba sumergida.

—No seas engreído. Yo no estaba aburrida, si no hubiese... Si no...

Alan se restregó contra ella y buscó sus senos acariciando ligeramente los pezones, haciéndole perder el hilo de sus pensamientos. Bajó la mano, rozó su vientre y hundió un dedo entre sus labios, encantado al escucharla jadear, luego movió sus piernas para dejarle espacio y ella se abrió anhelante, deseosa de encontrar el placer que, sabía, llegaría pronto. El dedo buscó sus profundidades húmedas, luego regresó al punto más sensible, acariciando, estimulando. Chiqui lanzó un quejido y levantó las caderas, restregándose contra aquella mano, queriendo más... Y entonces él se detuvo.

— ¿Qué... ¿Qué haces? —Balbuceó respirando entrecortadamente— ¿Por qué te detienes?

— ¿Qué importancia tiene? ¡Tú no estabas aburrida! — Exclamó sonriendo malevolente.

—Si... No, yo... ohhh...

Él la cubrió con su cuerpo y rozó la vagina con el pene.

—¿Admites que estabas hundida en un tedio mortal? — insistió atormentándola con el roce.

—¡Como una ostra en marea baja! —Exclamó ella saliendo a su encuentro.

Con una carcajada ronca él la penetró de golpe, causándole un quejido de placer. Entonces los jadeos se entremezclaron, hasta que ambos se estremecieron, sacudidos por una oleada de incontenible placer.

Fecha: 20 de febrero de 2017 20.42.

Para: A. M. Logan

De: Eyre McKey

Estimado doctor Logan,

Gracias por preocuparse por mí y tomarse la molestia de escribirme. Comprendo su razonamiento, así como los sentimientos de mi padre. Pero él parece que no comprende los míos, ni mis reflexiones, ni mi desilusión. Sí, estoy desilusionada y triste, molesta con la vida y el destino por lo que me está pasando. ¿Vida? La mía ya no es vida, es solo un sobrevivir esperando lo inevitable, pues desde que comenzaron los primeros síntomas, el mío ha sido un camino a través de hospitales, médicos, máquinas de tomografías, placas, exámenes... Todo esto duró tres meses, tuve que dejar las clases y así perdí un semestre en la universidad, me alejé de mis amigos, dejé de vivir lo que era mi vida normal para perseguir una esperanza vana. El tumor que invade mi cabeza, dicen los médicos que no es maligno, pero los que accedieron a operarme, no estaban dispuestos a asumir los riesgos, pues nadie pudo asegurarme las consecuencias. Usted tampoco lo ha hecho, ¡Atención! No lo estoy culpando, es solo la situación. Mi situación.

Lo que me espera a corto plazo son trastornos del lenguaje y de la memoria, alteraciones de la conducta, pérdida del olfato o el gusto. Luego aturdimiento, somnolencia, problemas de equilibrio, mareos... Y otra larga lista de cosas que usted conoce mejor que yo, hasta que el tamaño del tumor acabe con mi existencia. Si me opero, los tejidos cerebrales pueden resultar dañados y me espera una vida en estado vegetativo, o consciente pero idiotizada. Nadie puede prever qué cantidad de facultades quedarían afectadas por la operación. Puede que ninguna, pero usted mismo me da un diez por ciento de seguridad.

Un diez, contra noventa. Sí, como usted dice es una esperanza, pero demasiado pequeña para mí.

Entonces, si no hay mucha diferencia entre una y otra ¿por qué debería pasar lo poco que me queda entre médicos, hospitales y tratamientos vanos?

Le había dicho a mi padre que no me volvería a someter a un solo examen más, y quiero mantener mi palabra. Sin embargo, a mi padre le hablaron de usted y desde diciembre me está presionando para que vaya a su consulta. Así como le he pedido perdón a mi padre, le pido disculpas a usted, pero no iré. No quiero volver a albergar esperanzas. No sé cuánto tiempo de vida relativamente sana me quede, pero voy a tratar de vivirla con normalidad. Voy a asistir a alguna consulta médica para, en la medida de lo posible, atenuar las molestias, pero no más de ahí.

No quiero ofender su profesionalidad doctor Logan, por favor, discúlpeme...

Alan apagó el teléfono y suspiró, mirando un punto impreciso. Estaba sentado en el comedor, esperando a que Chiqui bajara de su habitación para desayunar, luego salir de excursión. Como médico se sentía frustrado, pues su deber era intentarlo todo para darle a sus pacientes salud y calidad de vida. Calidad de vida... Ahí estaba el nudo de aquella situación. Quería operar a la muchacha, pero no estaba completamente seguro del resultado. Era un caso complicado, y no podía culparla por su decisión. Porque sí, ella estaba en lo cierto. Si el bisturí bajaba un milésimo más de lo debido, si la masa invasora se aferraba con mucha firmeza, si tenía que forzar para extirparla... Demasiados síes, por ello no podía darle muchas esperanzas a Eyre McKey, pues había la posibilidad de que perdiera sus facultades.

—¿Malas noticias?

No la había visto llegar. Chiqui se sentó frente a él y lo miró con las cejas fruncidas.

Alan dejó el teléfono y alargó la mano por encima de la mesa, para buscar la de ella.

—Sí, pero las esperaba.

Él la miró grave, embebiéndose de su belleza y frescura, de sus ojos brillantes y de los rizos donde el fuego se fundía con el color de las hojas en otoño.

—Lo siento, Alan. Tu trabajo no debe ser fácil.

—No lo es, en efecto. Pero aprendí a separar mi vida privada de él, pues si no, no sería vida. ¿Y tú trabajo cómo es?

La llegada del mesonero desvió la atención hacia la carta y lo que iban a ordenar. Ella bromeó con el hombre, escogió lo que quería comer, y luego comenzó a hacer planes sobre cómo pasarían el día.

A Alan no se le escapó el hecho de que no había contestado a su pregunta, pero no quiso insistir. Solo mirarla le llenaba el corazón de alegría, y no lo ocultó.

—Eres hermosa, Chiqui —sonrió— mirarte hace que me olvide de las cosas feas y frustrantes de la vida.

Y era verdad. Aquellos ojos radiantes, aquella sonrisa como un sol hicieron que apartara de su mente la triste historia de Eyre McKey.

Alan despertó y notó en seguida la frialdad del otro lado de la cama. Chiqui no estaba ahí. Se estiró ampliamente, sonriendo. Seguro estaba en el baño, y pronto regresaría para tenderse a su lado. Él anticipó el momento en que la abrazaría para amoldar sus cuerpos como venía haciendo en los últimos diez días, y la anticipación hizo que su deseo aumentara. Su miembro creció aún más, deseoso de hundirse en el calor femenino. Se giró boca abajo y gimió, impaciente por experimentar aquel placer tan intenso que sentía con Chiqui. Nunca había tenido una relación tan plena y excitante, pensó. Se habían amado con premura y apremio, con ternura y lentamente, sacándose con prisas la ropa, desesperados por estar piel sobre piel, o saboreando cada beso, cada caricia. De cualquier forma, siempre terminaba tembloroso y feliz, y en aquel momento de reflexión sintió que había superado la barrera del simple placer, pues este llegaba emparejado con una ternura, un agradecimiento tan profundo por la muchacha que tenía entre sus brazos como nunca antes había experimentado. Turbado por sus propios pensamientos, se negó a seguir analizando su sentir e, impaciente, saltó de la cama y fue hacia el baño, pensando en sorprenderla y capturarla desprevenida.

El baño estaba vacío.

No podía ser. Ella seguía insistiendo en que quería mantener su habitación, allí se dirigía cuando decidían dejar la cama, generalmente a media mañana, para cambiarse de ropa. Luego se encontraban en el hall, como si no hubieran pasado la noche juntos, amándose sin respiro. Era algo ridículo, pero él había terminado aceptando su pretensión de intimidad. Pero eran las seis de la mañana, no podía haberse ido tan temprano, ¿Para qué? Miró a su alrededor como buscándola por los rincones, sin aceptar que no estaba ahí. Dejó el baño de prisa, decidido a llamarla, pero cuando descolgó la bocina para pedir que lo comunicaran con la habitación cinco cero tres, se hizo eco de los escrúpulos de la muchacha.

Dejó el teléfono y fue a buscar su móvil, para llamarla directamente. Y entonces vio el mensaje:

Alan, voy a visitar a alguien, hoy no podré salir contigo ¡Discúlpame! Te aviso cuando regrese.

Al mensaje, le seguían varias caritas felices mandándole besos.

Él se quedó mirando la pantalla con las cejas fruncidas. Había sido enviado a las cinco de la mañana. ¡Ahí estaba! De nuevo con sus misterios ¿De dónde había salido este alguien, y por qué tenía que visitarlo a tan temprana hora? ¿Y por qué no pudo llevarlo a él también?

Desvelado y molesto, bajó a la playa y nadó furiosamente durante media hora. Cuando regresó cansado a la reposera y se envolvió en el albornoz, ya habían abierto el restaurant, y él encargó el desayuno a uno de los empleados que vigilaba a los huéspedes en la playa, listo para atenderlos. Más calmado debido al ejercicio, trató de analizar sus emociones, y llegó a la conclusión de que no tenía ningún derecho a molestarse. Ellos no habían venido juntos a pasar sus vacaciones, sino que se encontraron por casualidad. ¿Y por qué no podía tener ella compromisos personales en la isla? Era de origen español, no por casualidad le habló de Las Palmas y decidió ir, puede que tuviera parientes ahí y quiso visitarlos. Si esto era cierto ¿por qué se alojó en un hotel y no se fue a casa de ellos? Ah bueno, sus motivos tendrían. ¿Por qué se amargaba tanto? Se preguntó atacando el desayuno como si fuera su peor enemigo. Pues porque él no era un ser básico que pensaba solo en el sexo, concluyó. Aunque nunca había tenido una relación larga y comprometedora, siempre había habido una conexión a nivel personal con su amante del momento. ¿Cuántas veces no las había escuchado hablar hasta los codos de sus familiares, los amigos, esto, aquello y lo de más allá? Alegrías, reconcomios, quejas... un coctel que a veces hasta terminaba fastidiándolo... ¿Era esto lo que lo incomodaba, o lo contrario? ¿Se sentía tan bien con Chiqui que quería una excusa para escapar... ¿O para acercarse más? No, él no estaba listo para comenzar una relación seria, y menos con una muchacha tan misteriosa. Era hora de aterrizar y tomar las cosas con calma. Le quedaban unos cuantos días juntos, luego cada quién por su lado y listo.

Sin embargo, definitivamente aquella conclusión no lo satisfacía.

Subió a vestirse y salió a pasear. Regresó a media tarde, durmió una siesta y bajó a cenar.

Chiqui no apareció.

Se sentía alicaído: el sol, la playa, la isla misma habían perdido su encanto. Después de cenar se quedó un rato en el bar tomando un trago. El pianista parecía compartir su estado de ánimo, pues tocó solo melodías de amores desafortunados.

Chiqui lo llamó a la hora del almuerzo, al día siguiente.

En la mañana, Alan había decidido que si ella no daba señales de vida durante el día, cancelaría su cuenta y regresaría a París. Trató de matar el tiempo dormitando al sol, decidido a almacenar todo el calor posible antes de regresar a la lluvia y la humedad. A Dios gracias pronto llegaría la primavera, y la primavera en París era algo digno de vivirse: los parques y jardines lucían de nuevo hermosos y coloridos, en los cafés sacaban sus mesitas a las terrazas, arrancaba la temporada de festivales al aire libre y en calles y plazas todo era música y alegría, las parisinas regalaban sus sonrisas, y hasta los perros... El móvil sonó y él saltó como un resorte, olvidándose de las parisinas y sus perros.

Era ella. El corazón le latía a millón, pero su voz era firme cuando preguntó:

—Hola Chiqui ¿Cómo éstas?

—Bien, Alan ¿Dónde estás?

—En el comedor, a punto de ordenar el almuerzo ¿Tú ya comiste?

—No. Si quieres bajo y comemos juntos.

Si quieres... Él se había sentido huérfano en su ausencia, y ella parecía no darle ninguna importancia al hecho.

—Pues si estás disponible te espero —contestó ácido.

La vio entrar con su paso cadencioso y una expresión algo desafiante. El mesonero, como siempre, se precipitó a su encuentro y la escoltó hasta la mesa que él ocupaba, hablándole mientras sonreía como un bobo. Su actitud aumentó la belicosidad de Alan ¿Cómo se permitía, el muy imbécil, tratar con tanta familiaridad a una huésped del hotel? Chiqui ¡Cómo no! Lo obsequió con su famosa sonrisa y le pidió que le trajera "la misma, deliciosa, merengada de fruta que usted me aconsejó tomar hace unos días". Le dio a Alan un beso en la mejilla y ocupó la silla que el empleado ya le había retirado, antes de irse de prisa. Si alguno de los dos se dio cuenta de las torvas miradas que Alan le lanzó al pobre hombre, no lo demostraron.

Chiqui llevaba un vestidito de tirantes estampado en alegres colores, y maquillaje, que casi nunca se aplicaba, destinado seguramente a esconder las ojeras que rodeaban sus ojos dorados. Pero ni este, ni los lentes cumplían con su cometido, pues las sombras violáceas no escaparon a su mirada de médico. ¡Los lentes! No eran los oscuros que se ponía para protegerse del sol, sino los otros, los que llevaba el día en que la conoció. Volvió a verla, arrodillada en el suelo, tanteando a su alrededor, volvió a escuchar su voz abochornada "mis lentes, sin ellos no estoy viendo nada". Y sin embargo no había vueltos a llevarlos. Él, en algún momento tomó nota del asunto, luego esto pasó a segundo plano.

—¿Qué te pasa, Chiqui? — preguntó mirándola fijamente.

Ella, que se estaba acomodando la servilleta en el regazo, lo miró sorprendida.

—Nada Alan ¿por qué preguntas? —A pesar de su fingida despreocupación, la incomodidad que sentía se notó en seguida en sus gestos nerviosos. Terminó de acomodar la servilleta, tomó un sorbo de agua, movió los cubiertos que estaban al lado del plato. No sabía mentir. Algo pasaba.

—Pregunto porque tienes unas ojeras tan grandes que el maquillaje que te pusiste no logra disimularlas. Además, tu piel está opaca y tienes aspecto cansado.

—¡Oh, es por esto! —Chiqui sonrió e hizo un gesto con la mano como restándole importancia al asunto — Es que me trasnoché un poco. Llegué tarde anoche. Por eso dormí hasta hace rato.

El mesonero se acercó y le puso adelante el vaso con la merengada. Observó cómo el médico miraba a la muchacha con los ojos entrecerrados. Algo pasaba entre aquellos dos, pero el tipo parecía tenerle ojeriza, y él no quería ser el detonante de ninguna bomba... Sin demorarse un segundo se alejó de la mesa, diciendo:

—Cuando quieran encargar me hacen una seña.

—Es solo un poco de cansancio, no hay de qué preocuparse —. Insistió ella chupando el jugo con fruición.

— ¿Y los lentes? El día en que te conocí, parecías ciega sin ellos. Pero en la última semana y media no has vuelto a ponértelos. Tampoco has llevado lentillas, pues me habría dado cuenta. Parece que tu vista es muy acomodaticia.

Por algún motivo su frase, que quiso ser jocosa, la hirió profundamente. Lo miró con dolor. Lo disimuló en seguida, pero no antes de que él se diera cuenta. Aquella mirada hizo que su rabia se esfumara.

—¡No, no pequeña! —Alargó la mano a través de la mesa y tomó la de ella, apretándola— No sé por qué mis palabras te molestaron tanto, pero no era mi intención hacerte sentir mal. Discúlpame, no quería hacerte daño...

Al principio la sonrisa de la muchacha fue algo forzada, luego llegó hasta sus ojos y él supo que estaba perdonado, fuera cual fuera el pecado que había cometido.

—No pasa nada — lo tranquilizó ella—. Es que tengo... Una inflamación en la córnea, y por momentos no veo nada. Luego remite y puedo pasarla sin los lentes. Estoy en tratamiento, pero curarla lleva tiempo.

La verdad, aquella explicación le pareció al médico algo peregrina, pero no tenía los suficientes conocimientos de óptica como para rebatirla. Se prometió llamar a Baden Guri, un excelente oftalmólogo conocido suyo, para investigar sobre el tema. ¿Y por qué lo haría? Se preguntó mientras Chiqui desviaba el tema hacia los platos que iban a pedir. Las dudas que lo habían asaltado el día anterior volvieron con fuerza. Para ser una aventura se estaba tomando muy a pecho todo el asunto, razonó mientras fingía estar centrado en el menú. Quería saber más de ella. Era el misterio, pensó, lo intrigaba el verla tan llena de contrastes. Una virgen, que nunca se había acostado con un hombre, y al mismo tiempo mostraba su desnudez sin inhibiciones. Una muchacha inocente que no quería dar información sobre sí misma, que cada vez que soltaba algún dato parecía arrepentirse y cambiaba el discurso con rapidez, como si tuviera algo que esconder.

Inocencia versus misterio.

—¿Cuál es tu apellido, Chiqui? —preguntó antes de pensarlo.

Ella dudó unos segundos.

—Álvarez —contestó. Y de inmediato volvió a centrarse en el menú—. Humm, estoy hasta el tope de comer pescado. Esta barquilla de espárragos resulta muy tentadora...

De nuevo se escabullía. ¿Qué voy a hacer contigo, Chiqui? Se preguntó Alan. Y siguió preguntándoselo durante aquella tarde, cuando, con las manos enlazadas pasearon sin alejarse mucho del hotel. Hablaron poco, ambos sumergidos en sus pensamientos, y sin embargo unidos en aquel silencio. Encontraron una placita pequeña, con asientos situados bajo palmeras y pocos transeúntes a la vista. A pocos pasos de donde se sentaron, una niña de unos doce años trataba de atrapar el paisaje en una tela situada sobre un caballete. Chiqui miraba con una vaga sonrisa en los labios sus patéticos esfuerzos, pues estaba claro que nunca sería una gran pintora. Tal vez ella misma se daba cuenta, pues a cierto punto dejó el pincel con un gesto frustrado.

—Ya regreso —murmuró Chiqui; se levantó y se acercó a la pequeña.

—¿Te puedo ayudar?

La niña la miró con cierta desconfianza, luego suspiró resignada.

—Es un trabajo para mi clase de arte, pero no logro darle forma —explicó.

—¿Cuál es el problema?

—Quería pintar el torreón con la montaña que se ve al fondo, a la derecha. Pero, como puedes ver no supe cuadrarlo. Tengo media tela libre a la izquierda, y no queda espacio a la derecha para la montaña.

Chiqui observaba con los ojos entrecerrados el panorama y la tela.

—Humm sí, no estudiaste la perspectiva.

—¿Y cómo se hace esto?

—¿Tu profesor no te explicó?

—Puede que sí, en algún momento...Pero no me acuerdo —. La chica se encogió de hombros, incómoda—. Debo prestar más atención. Es que no me gusta mucho pintar.

—Eh, sí... A ver, ¿tienes algún cuaderno y lápices en este bolso?

En un santiamén los objetos pedidos estaban en sus manos. Ella se arrodilló en el suelo y en una hoja blanca trazó una línea horizontal y una vertical, formando una cruz, luego marcó con un punto el centro de la misma.

—Imagínate que esto sea una tela. Cuando vas a pintar algo, debes buscar el punto central de la escena que quieres plasmar, y trasladarlo dentro de esta cruz, que es el punto central de la tela...

—¿Y de ahí pinto hacia ambos lados?

—¡Exactamente!

—Ahora lo entiendo, pero tenía que hacerlo al comienzo —dijo la chica, desilusionada—. Ya no puedo remediar el cuadro.

— ¡Claro que sí! Olvídate de tu idea inicial, y trabaja a partir de lo que tienes. Y tienes media tela vacía hacia la izquierda. A ver... El punto central que tenemos ahora es aquel techo, al lado del torreón.

Y con trazos rápidos y seguros fue copiando el tema en cuestión, en la hoja.

—Pero el panorama, hacia la izquierda solo tiene el mar —le hizo notar la niña, algo desdeñosa—. Puro azul, medio cuadro. Parecerá un dibujo infantil, se van a reír de mí.

—No, si te fijas en lo que se atraviesa en primer plano entre aquí y el mar. ¿Qué ves?

—¿El empedrado del piso del bulevar? —arriesgó la niña.

—Correcto, muy bien ¿Y más hacia la izquierda?

Alan se había puesto de pie para ver mejor. No se atrevía a acercarse para no romper el hechizo.

—Una farola, la copa de una palmera...

Bajo su mirada asombrada, las manos de Chiqui dibujaban velozmente los objetos que la niña señalaba. En pocos minutos, la muchacha plasmó con maestría el espléndido panorama en la hoja del cuaderno, sin pasar por alto un solo detalle. Parecía ajena a su entorno, como si hubiera volado a otros cielos, como si estuviera visitando otros mundos, lugares donde estaba sola, donde nadie podía alcanzarla.

El clásico ensimismamiento de los artistas.

—¿Eres pintora? —Inquirió la niña, con reverencia.

—Era mi sueño, pero tengo que dejar los estudios...

Entonces pareció despertar de su fantasía.

Alan comprendió que el hechizo se había roto y se sentó con premura. No quería que ella supiera que había visto y escuchado.

Chiqui miró el cuaderno, a la niña, al panorama. Luego se acordó de su compañero y giró los ojos hacia él. Alan le sonrió despreocupadamente, como si no hubiese visto su anhelo, su dolor...

— ¿Por qué los vas a dejar? ¡Eres muy buena dibujando! —Porfió la niña.

—Eso no importa ahora. ¡Te deseo éxito con tu tarea!

—¡Copiaré tu dibujo, el cuadro quedará muy bueno! ¡Gracias!

Chiqui se despidió con un gesto de la mano y volvió sonriente hacia donde estaba Alan. Pero no se sentó, alargó la mano como invitándolo a levantarse y así lo hizo él.

—Por lo que vi, te gusta dibujar —Le dijo como sin darle mucha importancia al asunto. No le dijo que había visto la soltura de sus trazos, y que había quedado maravillado por su talento.

—Era mi asignatura favorita en secundaria —contestó ella aparentando indiferencia. Le pasó un brazo alrededor de la cintura y se acercó aún más a él. Alan a punto estuvo de decirle que había escuchado sus palabras, por las cuales había entendido que estuvo estudiando arte y lo había dejado en contra de su voluntad. Le pareció como si la muchacha, al abrazarlo, buscara su calor, su protección. Rodeó sus hombros y la atrajo, renunciando a cuestionarla.

Al dar vuelta a la plaza vio a un hombre joven con un fino bigote, sentado, observando el mar lejano.

Distraídamente, registró que le parecía conocido. Sí, era huésped del hotel, lo había visto a la hora del almuerzo en el comedor. Y antes también, alguna que otra vez.

La tarde pasó entre silencios y palabras no dichas. Ninguno de los dos tenía ganas de hablar mucho. Si bien las dudas no habían desaparecido, Alan se sentía apaciguado con solo tenerla a su lado.

Regresaron al hotel y bajaron a la playa para ver el atardecer.

Como siempre, fue un espectáculo glorioso. Todas las tarde trataban de no perdérselo, no se cansaban de ello. El momento mágico cuando el sol comenzaba a desaparecer en el horizonte siempre los emocionaba. El oro bruñido que se reflejaba en el agua, los colores que se difuminaban en el cielo, el entorno, que parecía ya mostrar un aspecto cansado y soñoliento, todo ello contrastaba con la exuberante premura del amanecer, al que asistían siempre que se despertaban a tiempo.

Chiqui suspiró.

—Es demasiado hermoso —susurró

Alan se giró a mirarla. Sus rostros estaban a centímetros de distancia.

— Nunca he visto un atardecer tan hermoso como el que veo en el ámbar de tus ojos —le dijo suspirando sobre sus labios.

Estos ojos incomparables se humedecieron, y ella lo besó levemente, con ternura.

—Ámame Alan. Vamos arriba y ámame...

Su pedido no tenía nada de extraño, varis veces le había escuchado decir aquellas palabras, con los ojos turbios de pasión o jugueteando, provocándolo. Y sin embargo en aquel momento todo era extraño. Hasta el aire que los rodeaba parecía rarefacto, pensó él mientras subían.

Sus corazones latían apresurados, pero jamás se habían amado con más lentitud y ternura. Él la desvistió como si fuera un regalo largo tiempo esperado, la adoró como a una diosa, la besó, acarició, lamió. Ella se entregó sin límites. Como cera entre sus manos aceptó, lo enloqueció con su respuesta y tocó cada centímetro de su piel, como si quisiera grabar en su alma aquel cuerpo masculino que le había develado el placer. Luego se durmió entre sus brazos, agotada, sonriendo vagamente.

Alan comprendió que su relación estaba cambiando. Ya no era el simple placer físico de antes, sino que se habían añadido otros elementos a los que todavía no lograba darles nombre... Se durmió pensando que al día siguiente tendría que hablar con ella.

Sintió que ella se movía y en seguida alargó la mano para tocarla. Chiqui le pasó los dedos por la frente, alejando el cabello desordenado.

—Duerme Alan —bisbisó—. Duerme tranquilo...

Él volvió a deslizarse en el sueño. Mañana tendremos que hablar, pensó vagamente.

CAPÍTULO VI

La cama estaba fría. Y vacía.

—¡Oh no, otra vez no!

Alan se levantó con premura. Revisó el baño y el saloncito, pero algo le dijo que no la encontraría.

Se puso de prisa el chándal y las sandalias que llevaba el día anterior, se pasó un peine en el cabello y corrió hacia el ascensor.

Sentía miedo y rabia en partes iguales.

En la habitación donde estaba alojada la muchacha una camarera de cara avinagrada estaba aspirando la alfombra. El closet estaba abierto y vacío, la cama sin sábanas, con el colchón al aire.

—¿La señorita que ocupa esta habitación no se encuentra? —Preguntó sintiendo un nudo en la garganta.

—No, ya se fue —contestó la mujer, escuetamente.

—Se fue... ¿Adónde? —Inquirió tontamente.

— ¿Y yo qué voy a saber? —La mujer lo miró con disgusto—. Me mandaron acondicionar esto para recibir al próximo huésped.

Dudó un segundo. Luego, tal vez acicateada por la expresión incrédula de él o por el simple gusto de hacerle daño a otro ser humano añadió:

—Cuando comencé mi turno, a las cinco, la vi salir... El hombre que iba con ella le llevaba la maleta.

—¿Hombre? ¿Qué hombre?

—Un tipo musculoso con un bigotito ridículo... No puedo seguir hablando, debo terminar aquí.

Dicho lo cual, volvió a encender la aspiradora y se desinteresó del médico.

Este mismo hombre el día anterior estaba en el comedor, luego en la plaza donde estuvieron él y Chiqui ¿Qué significaba aquello?

Alan bajó hacia la recepción. Sí, la huésped del cinco cero tres había cancelado la cuenta y abandonado el hotel ¿Y cómo podían saber ellos a dónde se había dirigido?

El portero, quizá él pudiera darle algún dado.

El hombre le tenía un gran aprecio a Alan, un huésped espléndido, que no escatimaba las propinas.

—Sí, se fue recién cuando yo tomaba el turno.

—E... ¿Iba acompañada?

El portero miró a todos lados menos a la cara de su interlocutor, incómodo. El médico y la muchacha de ojos dorados no compartían habitación, pero todos se había dado cuenta de que tenían un romance.

—Ah... Sí... Este hombre que iba con ella. A mí nunca me gustó.

—¿Un tipo alto y fuerte con un bigote a lo Hitler?

—Ese, sí. Tenía unos diez días alojado en la cinco cero dos. Su actitud era rara, no digo que espiara, pero... Parecía como si anduviera merodeando. Lo escuché pedir un taxi para el aeropuerto.

Alan estaba anonadado.   ¡Al aeropuerto, con otro hombre, sin despedirse de él!

Y ahora ¿Dónde la buscaba? ¿Al aeropuerto, encontraría ahí respuestas? Además, Chiqui Álvarez ¿Sería de verdad este su apellido? Tal vez en la recepción pudieran ayudarlo. Pero la empleada se negó a darle ningún dato, y cuando él insistió, llamó al gerente.

Por supuesto, Rodríguez se mostró encantado de amargarle el día al médico, el mismo que tan mal rato le hizo pasar cuando la muchacha esa se enfermó.

—¡Ni pensarlo, doctor! ¡Nunca damos datos de nuestros huéspedes! — Se fingió sumamente escandalizado —.

Nunca traicionamos la confianza que las personas que se quedan aquí depositan en nosotros.   Sé que usted es invitado personal del estimado señor McKey, pero no puedo faltar a las reglas establecidas por el mismo dueño.

Alan comprendió que ahí nada lograría. Tal vez en el aeropuerto...

Subió de prisa, y cuando llegó a la suite se preguntó, en un momento de cordura, a qué se debía tanta premura para encontrarla. Y si no la encuentro, se respondió ¿Cómo le digo que la amo?

¡Oh, Dios bendito, aquello no podía ser verdad!

Miró a su alrededor, desamparado. ¿Enamorado? ¿De una muchacha de la que prácticamente nada sabía, que le había mentido y se había ido con otro, sin siquiera despedirse?

Cayó sentado en una de las butacas. Quería negar lo que le decía todo su ser, pero la verdad era que nunca había sentido por otra mujer lo que sentía ahora. En pocos segundos volvió a revivir cada momento, cada palabra, cada gesto. El solo pensar que podía no volver a verla lo enloquecía.

Aquello era una locura, pero era verdad.   Estaba enamorado. De Chiqui, la joven misteriosa que se le había entregado, que lo había hecho tan feliz. Era ella, la predestinada, la mujer que siempre soñó. Y sin embargo aquí estaba, solo y desesperado, sin saber dónde buscarla. El aeropuerto era su última esperanza.

No podía dejarla escapar.

Empacó con rapidez.

Rodríguez bajo ningún concepto le permitió pagar la cuenta.

—El señor McKey envió un despacho y fue muy claro: No debemos cobrarle nada.

Alan no insistió. No quería abusar de la hospitalidad del dueño, que nada le debía a final de cuentas, pero tampoco tenía ganas de discutir. En realidad, no tenía ganas de nada...

En el aeropuerto no encontró ninguna pista. Habían salido ya dos aviones, pero ninguna pasajera se llamaba Chiqui Álvarez.

— ¿Está seguro de que este era el nombre de la persona que busca?

La empleada quería complacer a aquel cliente guapo y tristón.

—Sí, ese es el que ella me dio.

—Se lo pregunto porque usted es extranjero, tal vez no conoce nuestras costumbres. Chiqui puede ser el diminutivo de chiquita o chiquito. Así acostumbran a llamar las madres españolas a sus pequeños. Aquí es un apodo bastante común.

El alma le llegó a los pies. ¿Tendría razón la mujer? De ser así era posible que no supiera ni su nombre verdadero...

Por no perder más tiempo, tomó un vuelo a Madrid que salía en la tarde, y de ahí otro a París. Llegó de madrugada, desconsolado y ajeno a la lluvia y el mal tiempo que persistían en la ciudad, acorde a su estado de ánimo. Buscó el auto que había dejado en el estacionamiento del aeropuerto, y se dirigió hacia el centro de la ciudad.

El apartamento que alquilaba estaba húmedo y triste. Ni la calefacción que prendió al máximo logró entibiar su corazón aterido.

La mañana siguiente, temprano, fue al Pitié-Salpêtrière, y comenzó sus pesquisas para localizar a Jaques, el enfermero que de primero la había llamado Chiqui. No conocía su apellido, pero sabía que el once de febrero comenzó su guardia en la tarde, y esto fue un buen punto de partida para localizarlo. Lamentablemente, se enteró de que estaba de permiso, visitando a su madre enferma, en otra ciudad. No hay ni que decir que no quisieron darle sus señas. Insistió en que lo necesitaba urgentemente para asistir a un paciente, pero no hubo forma.

—No es política del hospital dar información sobre el personal —le contestó el empleado con remilgos. — Si el señor Jaques hubiese querido permanecer en contacto con usted fuera de las horas de trabajo, le hubiese dado su número privado.

El hombre se centró en la pantalla del ordenador, dándole a entender que para él era asunto cerrado.

¡Maldita burocracia! ¡Solo en las novelas los protagonistas encontraban siempre lo que buscaban con solo esgrimir una sonrisa!

Dio una vuelta por las salas. Técnicamente todavía estaba de vacaciones, pero todos se alegraron de verlo. Un colega francés le expuso un caso que le preocupaba, y él le dio su opinión, contento de centrar su pensamiento en otra cosa que no fuera Chiqui.

Cuando salió del hospital ya no llovía. Anduvo un rato a pie, y el olor a comida que salía de un restaurant le recordó que no comía desde el día anterior.

¿Dónde buscarla? Se preguntó por enésima vez, mientras se alimentaba sin percibir el sabor de la comida.

Estaba metiendo la llave en la cerradura de la puerta de su apartamento cuando sonó el móvil. El sonido predeterminado le dijo que llamaba Nancy Albert, su secretaria del consultorio de Boston. Debía ser algo urgente pues en Boston eran apenas las ocho de la mañana.

—Hace pocos minutos llamó Kayden McKey —le explicó la mujer después de los saludos preliminares—. Busqué la ficha, lo consultó a usted hace dos meses por el caso de su hija Eyre, un tumor en los lóbulos temporales...

¡McKey! ¿Sería Dios que lo puso en su camino? Porque tal vez lograra convencerlo de que quebrara sus propias reglas y le ordenara a los del hotel de Las Palmas que le dieran algún dato sobre Chiqui.

—Sí, recuerdo el caso ¿Que quería?

—Pues parece que su hija accedió a la operación. Quería hablar urgentemente con usted. Estaba tan excitado que me costó comprender lo que decía. A las siete, cuando llegué al consultorio, ya había dejado tres recados en la contestadora. Debería llamarlo pronto, doctor Logan.

Durante unos segundos Chiqui y todos sus problemas personales desaparecieron de su mente, la cual se centró únicamente en las placas de la cabeza de Eyre McKey que le habían traído.

—¡Dios mío! A estas alturas el de esta muchacha es un caso desesperado.

—Me dio la impresión de que el padre ya lo sabe.

Podía negarse a operarla, por supuesto. Pero su instinto profesional se negó a rechazar el reto. Quedaba un pequeñísimo margen de esperanza y ¿Quién sabe lo que podía suceder? Puede que fuera el éxito de su carrera...

—El hombre insistió en que quiere hablar con usted, quería su teléfono, pero no se lo di, por supuesto.

Puesto que Eyre no era aún su paciente, él no le había dado las señas de su móvil al hombre.

—Dame el suyo, yo lo llamaré... Ok, gracias. Estamos en contacto. Abrazo...

Nancy tenía razón: Kayden McKey estaba tan nervioso que costaba entenderlo.

—Un milagro doctor Logan... Eyre... ella... ¿Cuándo puede operarla? ¡Debe de haber sido mi querida esposa que la convenció! ¡Recé tanto, oré con tanto fervor!

—Señor McKey, escuche...

—Su secretaria no me quería comunicar, dice que no está en Boston. Pero ¡Por supuesto usted está aquí! ¡Mañana mismo debe operarla!

A Alan le costó hacer callar al hombre para explicarle que estaba en París.

McKey entonces comenzó a llorar con sollozos desgarradores, dando salida a su frustración, aunada al dolor acumulado durante tantos meses.

—No puede ser... ¡No puede ser que ahora usted no esté disponible!

Suspiró esperanzado cuando Alan le explicó que tomaría el primer vuelo a Boston.

—Mi asistente, Lester Harrison, se pondrá en contacto con usted de inmediato. Por favor, hagan lo que él le indique. Tendrá que llevar a su hija al hospital enseguida.

El otro no encontraba suficientes palabras para agradecerle, y Alan no tuvo el coraje para hablarle de Chiqui. Hubiese sido demasiado cínico aprovecharse de la vulnerabilidad del hombre. Lo haría de presencia, cuando estuviera en Boston. Luego, si era necesario, regresaría a Europa y movería cielo y tierra hasta encontrarla.

Con la mente anestesiada por este imprevisto, trató de no pensar en su propio dolor y llamó al aeropuerto. Al día siguiente, domingo, no había salida a Massachusetts que le conviniera. Saldría el lunes a las nueve de la mañana en un vuelo directo.

La próxima llamada fue para Lester:

—Reserva el quirófano para el martes, sé que tal vez no haya cupo, pero explícale al administrador que es una emergencia. Ocúpate de que le hagan a la muchacha todos los exámenes y las placas pertinentes —añadió escuetamente—. Avisa a los demás para que estén disponibles. Llegaré el lunes alrededor de la una de la tarde, tendré tiempo para conocer a la paciente y reunirnos a estudiar el caso...

Durante un lapso de tiempo su mente estuvo ocupada en los detalles, la planificación y los posibles problemas que podían surgir. Cuando agotó el tema, inevitablemente su mente volvió a lo mismo: Chiqui.

El dolor lo inundó hasta la última fibra de su ser. No era posible que la hubiera perdido, debía haber algo que pudiera hacer para volver a encontrarla. Pero ¿Dónde buscar? ¿Qué sabía de ella que lo pudiera ayudar? Podía andar por todos los consultorios del hospital, preguntando si conocían a una muchacha llamada Chiqui. Podía preguntar al centenar de secretarias si alguna vez esta muchacha le había prestado unos libros que habían devuelto sueltos, lo cual propició que ella le cayera encima...

El único posible eslabón era Jaques, y debía esperar que regresara de su viaje.

Se sirvió una copa de vino y se asomó al pequeño balcón. Ya no llovía, pero la temperatura era baja, hacía frío. ¡Qué diferencia del cálido clima de Las Palmas!

La isla, el sol, Chiqui... Sus pensamientos giraban en círculo y volvían siempre al punto de partida.

Eran las cuatro y media de la madrugada cuando llegó el mail de Lester, pero él ya estaba despierto.

Me pasé el día con tu paciente, Eyre. Es una muchacha encantadora, pero está deprimida y con el ánimo por los suelos. Y no es para menos... Está consciente de su problema y del riesgo que corre. Le pregunté por qué esperó tanto tiempo para tomar la decisión de operarse, pero no me contestó. Físicamente está muy bien, todos sus niveles están perfectos, no hay riesgos por este lado. Lo grave es lo del tumor. Está muy expandido, Alan. Extirparlo va a ser un reto de marca mayor, no quisiera estar en tu pellejo... Dice que hace casi un mes comenzó a tener intermitentes problemas de coordinación, sobre todo en los dedos de las manos, problemas de vista y olfato, y más recién, trastornos de equilibrio, ocasionales lapsus mentales, ya sabes, pérdida de memoria, pero momentánea. Considerando el tamaño del tumor, diría que ha sido muy afortunada, pues en teoría debería estar casi vegetal... Escaneé todas las placas y te las estoy enviando también, así tienes tiempo de estudiar al monstruo alojado en la cabeza de esta niña.

El monstruo en cuestión lo miraba a través de la pantalla del ordenador. Era grande, más desarrollado que cuando lo había visto por primera vez, en diciembre. Había seguido invadiendo los pliegues de los lóbulos, inexorable. Alan amplió cada ángulo, cada recoveco, trazando su estrategia, tratando de decidir por dónde empezaría a atacarlo. Sí, aquella operación iba a ser un desafío.

—¿Vas a poder más que yo? —Le preguntó pensativo a la masa rojiza que lo miraba desde la pantalla, como un ojo maligno.

Fue a prepararse un café, y abrió la nevera buscando algo para desayunar, recordando que la noche anterior no había cenado. El aparato estaba tristemente vacío, no había comprado nada antes de irse de vacaciones. Se puso un chándal abrigado, pensando que un croissant le iría muy bien. El domingo anterior se había despertado al lado de una hermosa muchacha, y el último de sus pensamientos era qué comería en el desayuno.

Regresó cargando un par de envases de comida preparada, quesos y una barra de pan. ¿En qué le había fallado? ¿Por qué se iría sin siquiera un adiós? Se preguntaba mientras subía cansinamente la escalera. No le había hecho ninguna promesa, nada que no mantuvo después. La suya fue una relación espontanea, una atracción mutua durante la cual se portó, hasta donde recordaba, como un caballero. Y se enamoró de ella sin siquiera darse cuenta de que estaba sucediendo. Tal vez ella esperaba más que una simple relación pasajera, quizás si le hubiese dicho a tiempo que la amaba...

De repente lo asaltó una rabia asesina ¿Cómo decirle algo que ni él mismo sabía aún? ¿Y por qué tenía que culparse a sí mismo, si no había hecho nada para merecer aquel sufrimiento? ¿Por qué no aceptar simplemente que se había enamorado de una loquita que no dudó en abandonarlo?

No, no podía dejar que su mente siguiera por aquellos derroteros. Chiqui no era ninguna loca, era una muchacha cabal y de buenos sentimientos, y algo muy grave debió haber pasado para que desapareciera así. Una vez más se preguntó quién sería el hombre que, ahora estaba seguro, los seguía y luego se fue con Chiqui. El portero le dijo que tenía unos diez días alojado en el mismo piso del hotel que la muchacha, a unas puertas de la de ella. No experimentaba celos hacia el tipo, de tratarse de un enamorado no hubiera dejado que las cosas llegaran tan lejos entre ellos, hubiera tratado de llevarse a la chica antes. ¿Qué pasaría, qué la llevó a escaparse de esta manera?

Estirado en el sofá, mirando el techo, su mente le daba vueltas al problema. ¿Qué hacía una americana joven en París? ¿Vacaciones? Factible, pero ella cargaba unos libros que "le había prestado a una amiga secretaria", y Jaques, nativo de Francia, parecía conocerla también. Su francés estaba marcado por el inconfundible acento americano, él lo descubrió en seguida. Hablaba español con fluidez, pero también cargado del mismo acento. Es decir, ella parecía que estaba establecida ahí, pero había crecido en Norteamérica. Era obvio que tenía poco tiempo en el país ¿Se habría mudado permanentemente o estaba de paso? ¿Estudiando, tal vez? Posiblemente, pero, aunque estuviese en lo cierto ¿En qué lo ayudaba saberlo? Había docenas de universidades en París, podía estar inscrita en cualquiera de ellas, todo dependía de su talento.

Talento...

Volvió a verla, copiando con rapidez y maestría el panorama de Las Palmas arrodillada en el suelo de ladrillos de la plaza.

Se enderezó lentamente y bajó las piernas.

¿Eres pintora?

Era mi sueño, pero tuve que abandonarlo...

Quince minutos después manejaba con premura hacia la Escuela de Bellas Artes.

Si era tan talentosa como él intuía tenía que ser esta escuela, pero ¿Qué esperaba encontrar un domingo? Se lo había preguntado mientras salía a escape del apartamento, pero debía intentarlo, pues al día siguiente alrededor de las seis de la mañana debía dirigirse al aeropuerto para volar a Boston.

—Monsieur, como visitante no puede entrar en los salones de clase. En día de semana, si algún profesor le da permiso, tal vez... Pero hoy no. Domingo es un buen día para visitar nuestra universidad, pero desde afuera, para admirar su arquitectura no más.

Alan no quiso discutir con el vigilante.

—Está bien, no quiero que infrinja el reglamento —Alzó las manos sonriendo—. Daré un paseo, luego me iré.

Saludó y se alejó como había prometido. Pero la puerta de la facultad lo llamaba sin remedio. Dio un rodeo y volvió a acercarse. Al primer descuido del hombre ya estaba subiendo los escalones de dos en dos. Se detuvo en el pasillo del primer piso, expectante. Nadie lo seguía, no lo habían visto entrar. Se acercó a las puertas a lo largo del corredor. Muy pocas estaban cerradas con llave, las que pudo abrir contenían pupitres y mesas de estudio; grandes ventanales que dejaban entrar la luz del día, copias de dibujos de grandes artistas colgadas en las paredes, hojas con algún esbozo olvidado, alguno que otro lápiz... ¿Qué esperaba encontrar? Se preguntó desanimado, mientras subía al segundo piso ¿Un archivador sin candado donde estarían las señas de los estudiantes?

Tampoco ahí había nadie a la vista. En este otro piso parecía que se cursaban niveles más avanzados. Había caballetes con cuadros a medio pintar, algunos casi listos. Pese a las prisas, él observó con curiosidad las telas expuestas. En algunos trazos se adivinaba al gran artista en ciernes, en otros, solo el deseo de serlo. ¿Pintaría Chiqui alguna de aquellas telas? Nada, absolutamente nada dejaba adivinar la identidad de los alumnos.

Pasó a otro salón. Mientras abría la puerta un ruido lo impulsó a ser cauteloso. Escuchó reteniendo la respiración.

Eran sollozos ahogados.

Estiró el cuello hacia el interior, y lanzó una discreta mirada. Más caballetes, mesas, sillas, un sofá adosado debajo de los ventanales. Un joven barbudo estaba sentado en el suelo, de espaldas a una pared, observando un cuadro apoyado sobre una silla, empuñando una botella a medio vaciar.

—Eres la puta más puta que ha nacido alguna vez... Farfulló con voz gangosa dirigiéndose al cuadro. Sorbió por la nariz y se limpió la misma con la manga de la chaqueta. Luego levantó la botella hacia el cuadro, en un brindis silencioso, y tomó un largo trago.

Alan no quería entrometerse en la vida de un borracho despechado, pero tal vez el joven pudiera darle alguna pista. Se acercó a él.

—Disculpe ¿usted estudia...?

Las palabras murieron en su boca, pues sus ojos se posaron sobre el cuadro que estaba apoyado en la silla.

Chiqui, su Chiqui, completamente desnuda, recostada en el sofá que estaba ahí mismo, le lanzaba desde la tela su mirada de oro, parecida a los atardeceres que habían gozado juntos. A la tela le faltaban retoques, pero era ella, sin duda alguna.

—Chiqui... — silabeó en silencio. Ahí estaba, no la había perdido. Y aunque experimentó unos celos asesinos al ver como el hombre devoraba con los ojos aquel cuerpo desnudo que era solamente suyo, el mismo le diría quién era y cómo encontrarla. Pero debía ser prudente, pues no era fácil manejar a un borracho.

— ¿Quién es... Ella? —inquirió con cautela.

El joven lo miró con ojos vidriosos.

—Una puta que... Nos hace empalmar a todos los machos del salón, contestó, y tomó otro largo sorbo de licor —. Luego... Se excusa educadamente y se niega a salir con alguno...

Se puso de pie tambaleante, sin soltar la botella.

Alan sintió que su sangre comenzaba a hervir, pero contuvo su rabia.

—¿Sabes cómo se llama? —Insistió con calma— ¿Es una estudiante o una modelo?

—¿Y a ti que te importa? ¡Es otra americana calientapollas, nada más!

El desprecio que había en su voz acabó con la paciencia de Alan. Agarró al barbudo por las solapas de la chaqueta.

—¡No sigas insultándola, cobarde! —Le espetó en las propias narices— ¡Solo dime su nombre!

Alan lo soltó y se alejó un paso, sin dejar de mirarlo amenazante, aunque ya estaba arrepentido de su estallido. Intuía que aquella no era la mejor manera de sacarle información al otro.

Pareció como que el borracho buscara una excusa para darle salida a su rabia, pues de inmediato, con un aullido, agachó la cabeza y cargó contra el estómago de Alan. Este intentó esquivarlo, pero recibió el golpe en las costillas. Jadeante por el dolor, se enderezó, alargó las manos y empujó al otro con todas sus fuerzas. El barbudo chocó con un caballete, el cual se fue de lado y por efecto dominó se llevó a otros dos, y finalmente aterrizó sobre una mesa, volcándola. En el silencio del edificio los golpes retumbaron como truenos.

Mientras Alan intentaba recuperar la respiración, el barbudo tomó impulso y le lanzó la botella de licor. Esta vez él logró evadir el golpe, y la botella siguió directa hacia el ventanal, atravesó el vidrio y salió disparada hacia el vacío. El estruendo del cristal al romperse fue ensordecedor, y Alan comprendió que no solo ya no averiguaría nada sobre la muchacha, sino que si no salía a escape de aquel sitio tendría que atenerse a las consecuencias.

Corrió hacia el pasillo y escuchó el ruido de pasos subiendo apresurados. Apenas tuvo tiempo de esconderse detrás de una columna, cuando apareció el vigilante con el que había hablado abajo, acompañado por otro. Corrieron hacia la puerta abierta del salón de clase.

—¡Pierre, de nuevo tú creando problemas! —Exclamó uno de los hombres—Esta vez nadie te salva. Ya llamamos a la policía.

La policía... De hecho, se escuchó una sirena, abajo. Alan comprendió que no podía permanecer en aquel escondite precario, ni tampoco bajar, pues corría el riesgo de que lo vieran. Con cuidado, abrió la puerta de otro salón y se metió adentro. Escuchó nuevamente ruidos de pasos subiendo la escalera, luego gritos apagados, gruñidos y forcejeos. Poco después se llevaron a Pierre, que cantaba a grito pelado una canción sobre una prostituta que cruzaba el mar en un barquito.

Los vigilantes volvieron a subir y comenzaron a arreglar el estropicio, renegando, y Alan aprovechó para escabullirse de una vez.

¿Habría seguido el camino correcto? Se preguntó mientras manejaba de vuelta. Tal vez hubiera debido quedarse y asumir su parte de responsabilidad, así terminara en una celda junto a Pierre, y de repente le sacaba la información sobre Chiqui. ¿Y el vuelo a Boston mañana? ¿Y la promesa que le hiciera a McKey?

Tenía cupo en el quirófano a las siete de la mañana del martes, y estaba en juego una vida ¿Cómo podría soslayar sus responsabilidades?

—¡Oh Dios mío! —Murmuró desesperado— ¿De qué va todo esto, qué es lo que está pasando en mi vida?

Se obligó a calmarse y reflexionar. No todo estaba acabado, comprendió. Chiqui ya no era una total desconocida, tenía una pista sobre ella solo que, por el momento, no podía utilizarla. Iría a Boston para operar a la muchacha y en cuanto estuviera fuera de peligro la dejaría en manos de su asistente, un joven altamente capacitado. Calculó que en una semana podría estar de regreso. El cuadro no podía pertenecer al tal Pierre; si no, no estaría en el salón de la facultad a medio terminar.

Alguien tendría que decirle dónde podría encontrarla.

CAPÍTULO VII

El avión dio la enésima vuelta sobre el cielo de Boston. El vuelo había salido de París en perfecto horario, pero antes de llegar a destino, el capitán anunció por los parlantes que una violenta ventisca azotaba casi todo el estado, cosa que probablemente retrasaría el aterrizaje. Pero ni Alan ni el resto de los pasajeros imaginaron la magnitud de la tempestad. Mientras pasaban los minutos, el que tenía aparatos apropiados buscó en internet y comprendió que la cosa era seria. Nadie se sorprendió cuando anunciaron que desviarían el avión hacia Springfield, para intentar aterrizar ahí, pues tenían más de una hora dando vueltas, y obviamente el combustible no duraría toda la vida.

El vuelo duró un poco más de los habituales quince minutos necesarios para cubrir la distancia, y al llegar, anunciaron que el aterrizaje podía ser movido.

—Están a punto de cerrar el aeropuerto —dijo el piloto—, por esto no podemos seguir dando vueltas... Aparte de que tenemos poco combustible. Debemos arriesgarnos.

Los asistentes de vuelo ayudaron a los pasajeros a abrocharse firmemente los cinturones, le explicaron cuál era la mejor posición que debían asumir, luego ellos mismo fueron a anclarse a sus asientos.

Los tumbos y saltos que dio el aparato al tocar tierra hicieron gritar a más de uno, pero gracias a Dios nadie sufrió daños graves, solo un par de mujeres que se desmayaron por el miedo.

La nevada era tan fuerte que, a pesar de ser pleno día, nada se veía afuera de las ventanillas, aparte de los faros de muchos vehículos que se acercaban de prisa.

Cuando finalmente Alan retiró su maleta de la correa rodante eran casi las cinco de la tarde. El aeropuerto lo habían cerrado inmediatamente después de que ellos llegaran, por tanto, no había vuelos programados hacia Boston.

Alan se dirigió prestamente al mostrador de autos de alquiler, y se encontró con que habían cerrado los caminos, puesto que era muy peligroso manejar.

Llamó de inmediato a Lester Harrison para explicarle, y plantearle la posibilidad de cambiar la reserva para el quirófano, pero el otro joven le devolvió la llamada pocos minutos después diciéndole que debería esperar otra semana para tener cupo.

—Lo lamento —le dijo Lester—, no pude hacer nada para adelantar la fecha. Ya fue un milagro que te dieran espacio para mañana, aplazaron otras operaciones. Claro que si se presenta una vacante avisarán...

Alan respiró profundo y fue a Asistencia al viajero para exponer su caso, pero lamentándolo mucho, nadie pudo ayudarlo.

—Hay un vuelo listo para salir a Boston —le explicaron, muy comprensivos—. En cuanto mejoren las condiciones climáticas el avión despegará. El aeropuerto puso a disposición de los pasajeros que fueron desviados hacia acá un salón. Pueden esperar ahí, y serán avisados en seguida de cualquier novedad.

Se trataba de una sala equipada con sofás y cómodos sillones.

Poco después Alan, previendo cualquier eventualidad, contactó al equipo que lo asistiría al día siguiente en el quirófano, y se reunieron en el sitio online que habían creado para emergencias de este tipo. Juntos, como hacían de presencia antes de realizar una operación delicada, estudiaron las placas, la historia de la paciente y las posibles complicaciones que se podían presentar. No dejaron nada al azar. Formularon muchas preguntas y, exhaustivamente, trataron de adelantarse a cualquier emergencia y a las medidas que se tomarían en este caso, asumiendo cada quien su papel.

Cuando se desconectaron eran las diez de la noche.

Sin dejarse desviar por los negros pensamiento respecto a su vida privada, Alan se tendió en el sofá arrebujado en la cobija que le habían proporcionado, y logró descansar unas cuantas horas. A las cuatro y media los despertaron. El tiempo había mejorado, y esperaban poder despegar de un momento a otro. De hecho, media hora después, en cuanto los pasajeros terminaron de acomodarse de prisa en sus asientos, el aparato levantó vuelo. Varias tazas de café caliente los reconfortaron, y ayudaron al joven médico a despejar su mente y a centrarse en el trabajo que lo esperaba. Envió mensajes a los miembros de su equipo, poniéndolos al tanto.

Dos horas después llamó a Lester, diciéndole que estaba a las puertas del hospital. El trayecto desde el aeropuerto le pareció interminable, pero el mal tiempo no le permitió al chofer del taxi aumentar la velocidad.

Mientras él se duchaba rápidamente y se dirigía a la sala de desinfección, bajaron a la paciente, ligeramente sedada. Encontró a su asistente con las manos estiradas, permitiendo que un enfermero le acomodara los guantes transparentes. Se saludaron, y mientras Alan se enjabonaba a conciencia los brazos y las manos, cambiaron unas últimas reflexiones respecto a la operación que les esperaba.

—¿Cómo está de ánimo la paciente? — preguntó mientras el ayudante desplegaba una bata quirúrgica frente a él.

—Tranquila —contestó Lester—. Parece una muchacha muy dócil.

—Más que dócil, yo diría que resignada...

Ambos jóvenes se giraron hacia Helen Hoffman, la jefa de quirófano que lo había asistido en todas las operaciones que Alan había realizado en el hospital, y que entraba en ese momento empujando la puerta con el hombro, para no tocarla.

—Pues podía haberse resignado hace dos meses, así su caso no se hubiera complicado tanto — le contestó Alan con cierta acritud. Luego sus facciones de distendieron y saludó con afecto a la recién llegada, por quien sentía un verdadero aprecio.

—El tiempo de Dios es perfecto, doctor Logan —dijo la mujer después de responder a su saludo—. Se ve que hoy era el día señalado para que usted la opere. Fíjese si no en cuantos inconvenientes tuvo, y aun así llegó a tiempo.

—Sí, pero me hubiese gustado conocerla un poco, verla siquiera una vez antes de operarla.

—¿No la conoce? —Se extrañó la mujer.

Sucintamente, él le explicó su relación con Eyre McKey por medio de su padre, mientras el ayudante terminaba de ayudarlo con la vestimenta.

—Los espero afuera —dijo Lester dirigiéndose hacia la puerta.

—Ahí vamos —contestó él mientras movía los dedos enguantados —Y ahora a regalarle una sonrisa a esta muchacha...

Alan entró al quirófano con las manos   levantadas a la altura del pecho. La mascarilla escondía su sonrisa, pero esta llegaba hasta sus ojos, la paciente no podría dejar de verla. Dio un paso más hacia la camilla, y de repente se detuvo, como si un rayo lo hubiese clavado al piso.

Sus brillantes rizos habían desaparecido, pero aún con la cabeza rapada, seguía siendo hermosa.

Chiqui, su Chiqui, acostada sobre la mesa operatoria.

Aunque adormilada, ella lograba sonreír al parloteo del anestesiólogo, un cuarentón que sabía cómo mitigar el miedo de un paciente con sus palabras cariñosas.

—...Y antes de que te des cuenta, pequeña, estarás nuevamente en tu escuela, deleitando a tus profesores y compañeros con esos ojos preciosos que tienes. El doctor Logan es un mago, además es joven y guapo. Seguro te enamorarás de él en cuanto lo veas. Ya le ha pasado a muchas pacientes. Ahhh, pero el que quedará deslumbrado será él en cuanto te vea a ti...

Hablaba y le acariciaba la cabeza, mientras la muchacha, ya con los ojos cerrados, hacía resplandecer el quirófano con su laxa sonrisa. No llegó a darse cuenta de que el médico había entrado, y que, después de avanzar tres pasos, se había quedado petrificado en el sitio.

Helen, al verlo detenerse tan abruptamente lo miró sorprendida. Vio sus ojos abiertos como platos, sus manos que comenzaban a temblar, y se dio cuenta enseguida de que algo iba mal. Presurosa, lo tomó por el codo y lo regresó de nuevo a la sala de esterilización.

La cabeza de Alan daba vueltas, sus pensamientos se embrollaban... Chiqui nadando, abrazándolo... Eyre McKey, rechazando los ruegos de su padre... Chiqui observando extasiada el cielo al amanecer... Eyre...*Le pido perdón doctor, pero no quiero operarme...*

No supieron del lazo que los unía, y no era de extrañar. Jaques lo llamó "doctor Morris", en el hospital francés así lo llamaban casi todos. En realidad, Morris era su segundo nombre de pila, no su apellido, pero él no se molestaba por el malentendido, y no tenía ningún interés particular en sacar a nadie de su error. Hasta donde sabía, ella jamás imaginó que era el doctor Logan que su padre había contactado. Y a ella el enfermero la había llamado Chiqui, a él ni se le pasó por la cabeza que podía no ser su verdadero nombre. Menos todavía se le ocurrió imaginar que podría ser Eyre McKey, la hija de Cayden.

El enfermero estaba ocupándose de arreglar la sala, pero salió de prisa en cuanto la jefa le hizo una seña.

—La conoce ¿verdad? —preguntó Helen en cuanto estuvieron solos.

Él asintió, incapaz de proferir palabra, pero la expresión de sus ojos, el dolor y los demás sentimientos que vio reflejados en ellos, le dijo a la mujer muchas cosas. Se vislumbraba un embrollo raro, puesto que si se conocían ¿Cómo no sabía él que la encontraría acostada en la mesa de operaciones?

Alan se apoyó en la pared y cerró los ojos, manteniendo sus manos levantadas, sin rozar nada, llevado por la fuerza de la costumbre. Su corazón latía desbocado.

Chiqui, su amor, la mujer de su vida, tendida en la camilla, con un tumor tan grande en la cabeza que recordarlo le daba nausea.

Podía sentir la tibiez de su piel al rozarla, el dulce sabor de sus labios, la alegría salvaje que experimentó al hacerla mujer, él, el primero, el único.

Y de repente se preguntó si este amor tenía sentido, pues ¿qué sentía Chiqui por él? ¿Experimentaba algún sentimiento o le gustó y lo escogió por desesperación, porque el tiempo se le estaba acabando y quería experimentar lo que se siente al hacer el amor? Había sido tan tierna, tan incondicional en su entrega, pero ¿Era esto amor? El pensamiento de que su sentimiento no fuera correspondidos lo hizo estremecer, y la enfermera lo miró frunciendo las cejas, preocupada.

—No puedo, yo no puedo…Tengo miedo, Helen —Jadeó.

—Tiene la alternativa de dejarle su puesto al doctor Harrison, y usted lo asiste. Él es un joven capacitado, usted mismo lo ha dicho varias veces.

—¡No! Debo ser yo. Ella... Chiqui...

Durante un segundo fue la enfermera la que sintió pánico. No quería dejarle su puesto a otro, y al mismo tiempo temblaba. Un médico no podía realizar una operación estando tan alterado, menos una tan complicada. Pero Helen era una mujer enérgica, y había recorrido un largo camino en su profesión. Debía encontrar el medio para tranquilizarlo.

—Si quiere operarla usted mismo debe tratar de serenarse. Estoy segura de que el miedo se le pasará en cuanto agarre el bisturí —le dijo sosegadamente—. Porque en ese momento usted se transforma. Se olvida de todo y se centra únicamente en su trabajo. Lo sé porque lo he visto muchas veces manos a la obra. Docenas de pacientes le deben su vida, y ahora... Esta niña depende de su serenidad.

Él respiró profundamente.

—Su caso es muy complicado —murmuró con voz roncamente desesperada.

—Lo sé, vi las placas —contestó ella con calma—. Pero si hay alguien que puede ayudarla a salir con bien de esto, es usted. Alan Morris Logan quien, llevado por la mano de Dios, ha realizado milagros en este quirófano.

—Su vida, su futuro... Nuestro futuro, está en mis manos.

Lo escuchó jadear, vio sus ojos brillando por las lágrimas contenidas.

—Respire profundo doctor, necesita calmarse...Y si quiere llorar, si esto lo ayuda a tranquilizarse, hágalo.

Alan inhaló hondamente varias veces. Sabía que ella tenía razón. De alguna forma debía controlar sus emociones. No podía dejar a Chiqui... Eyre... tendida en la camilla indefinidamente. Tampoco iba a permitir que otro que no fuera él mismo intentara operarla. Si alguna esperanza de futuro juntos tenían, dependía de él, de la capacidad para recuperar su serenidad y afrontar la situación.

Futuro juntos... ¿Tenía derecho a pensar en ello antes de saber cuáles eran los sentimientos de Chiqui hacía él?

De todas, formas, el primer paso era intentar restituirle la salud, luego sabría.

La mujer vio el esfuerzo que el médico estaba haciendo para equilibrarse. Siguió hablando con palabras destinadas a fortalecer su espíritu, no simples alabanzas, sino salidas de su corazón, pues las sentía. Cuando vio que él ya no temblaba, que se había controlado, le apretó un brazo con su mano enguantada y le sonrió.

— ¡Ahora salga y luche por ella!

SEGUNDA PARTE:

KAYDEN

CAPÍTULO VII

Kayden McKey comenzó su escalada hacia el éxito transformando la casa familiar, situada en Seattle, en una posada. Aquel era el único bien que le había quedado a María, su madre, al enviudar. Al principio, a la mujer le pareció una idea descabellada, pero finalmente decidió apoyarlo. Era el benjamín, nacido diez años después de sus dos hermanos mayores, y a sus veinte años, Kayden era un joven responsable pero vehemente y arriesgado, todo lo contrario que su padre, un hombre recto pero pusilánime como él solo. Si llegaron a poseer aquella casa era porque María se había empeñado en conseguir un préstamo, pues él se asustaba hasta de asumir una deuda.

Los tres hermanos resultaron ser sanamente ambiciosos y con ganas de surgir en la vida: Sean, el mayor, había estudiado derecho y tenía su propio y próspero bufete, Selma, con su pasión por las telas y la moda, había creado desde la nada una tienda de ropa, y ya proyectaba montar una fábrica de confección. A Kayden sus hermanos le prestaron algo de dinero y ambos, por motivos diferentes, uno por ser abogado y la otra comerciante, le dieron el mismo consejo:

—No busques socios, y trata de no endeudarte. El comienzo será lento, pero llegarás seguro.

Él les prestó atención. Con el dinero que ellos le dieron compró madera y materiales de construcción, y él mismo levantó paredes adicionales y tabiques, reduciendo las cuatro amplias habitaciones en ocho más pequeñas. También compró unas cuantas camas, lencería y cortinas.

Al principio, él y su madre ofrecían hospedaje y desayuno, añadiendo calor hogareño y trato educado y respetuoso a los huéspedes. Kayden hacía de administrador, recepcionista, mozo, mesonero y lavaplatos, pidiéndole a María solamente apoyo para preparar el desayuno, que tampoco requería mucho esfuerzo. Más adelante, pudieron pagar un par de ayudantes y añadieron almuerzos.

El trabajo que realizaba María no era muy pesado, y el ajetreo, en cambio de cansarla pareció rejuvenecerla. Luego de tres años de esfuerzos, cuando él compró otra casa vecina para ampliar el establecimiento, ella lo alentó y le prestó todo el soporte práctico que pudo.

Doce años después, a sus treinta y dos, Kayden ya poseía cinco hoteles en diferentes ciudades, y era multimillonario. Pero nunca olvidó sus orígenes modestos, ni la impotencia que sentía cuando deseaba viajar, o hacer cualquier otra cosa, y no podía costear los gastos. Por esto, todos sus hoteles tenían habitaciones estudiantiles, áreas no muy grandes, pero cómodas y equipadas, en pequeño, con la misma pericia que las grandes suites, y cuyo alquiler resultaba accesible para jóvenes viajeros.

Fue a esta edad que conoció a Rosalía Álvarez, una joven española que viajaba con sus padres. Ella era dulce y apasionada a la vez, sus cabellos leonados y sus ojos color ámbar lo enloquecieron desde el primer momento en que la vio, en la recepción del McKey de New York. Si existe el amor a primera vista, esto lo experimentaron ambos en cuanto se miraron.

A la semana de conocerla, Kayden la pidió en matrimonio. Los aturdidos padres de la muchacha no sabían qué hacer frente a tanta prisa, pero la misma Rosalía estaba tan segura de querer casarse con él, que no pudieron oponerse.

Ella nunca se arrepintió de su decisión. Kayden puso su corazón y el mundo a sus pies, y ella le hizo conocer la verdadera felicidad, amándolo con toda el alma.

Hubiesen querido tener media docena de hijos, pero al nacer Eyre, Rosalía casi perdió la vida y quedó imposibilitada para volver a ser madre.

La niña se volvió el centro de sus vidas.

Era su pequeña amada, y siguiendo espontáneamente una costumbre española, la chiquita pasó a ser, para familiares y amigos, Chiqui.

Chiqui aprendió inglés, y al mismo tiempo su madre le enseñó a hablar español y su abuela gaélico, para que nunca olvidara sus raíces étnicas. A los cinco años dominaba perfectamente los tres idiomas, pero lo que dejaba sorprendidos a sus familiares y maestros era su talento para pintar y dibujar. Kayden y Rosalía la estimularon proporcionándole todos los artículos de pintura que necesitaba, y con clases particulares.

Al mismo tiempo que talentosa y encantadora, la pequeña era compasiva y generosa por naturaleza, cualidades que sus padres se ocuparon de fomentar. Kayden a veces la llevaba a dar vueltas por barrios humildes, para que comprendiera cuan afortunada era por tener todo lo que requería, en comparación a otros niños.

Con su madre, por otro lado, visitaba el orfanato regentado por los Salesianos, en donde los McKey estaban entre los principales benefactores.

Hasta los doce años, Eyre tuvo una infancia feliz: padres amorosos, viajes, amigos y   familiares paternos y maternos que la amaban. Cuando llegó a esta edad, un conductor borracho atropelló y mató a Rosalía y su vida cambió radicalmente.

Kayden, enloquecido, sintiéndose solo y desamparado, permitió que la depresión y los miedos nublaran su razón: absorbió totalmente a su hija y prácticamente la encerró entre cuatro paredes, por miedo a perderla. Ya no era el chofer el que la llevaba y la buscaba a la escuela, sino él mismo, por lo cual dejó de viajar y permitió que administradores y gerentes hicieran lo que quisieran con sus doce hoteles diseminados por el mundo. Ya la niña no asistía a clase de arte, sino que la profesora iba a su casa. Él no la dejaba ir a cumpleaños ni a reuniones en casa de compañeros como antes, ni la llevaba a un parque ni a ningún lado, por miedo a que alguien se la arrebatara como hicieron con su esposa.

Al principio estar tan cerca de su padre a Eyre la reconfortó, pues la muerte de Rosalía había sido un golpe muy duro. Pero su vida había dado un vuelco en todos los sentidos y las consecuencias no fueron de las más felices. Al cambiar tan radicalmente su rutina, el suelo se movió bajo sus pies, y le costó bastante mantener el equilibrio. Gracias a Dios la orientadora del colegio comenzó a asistirla regularmente, y esto la ayudó muchísimo a adaptarse a su nueva situación.

—Tu padre volverá a ser el de antes —le decía la psicóloga—, solo dale un poco de tiempo...

Pero los meses pasaban y Kayden no cambiaba, por lo que la niña se resignó estoicamente a su nueva vida. Para no aburrirse buscó actividades extra, e internet fue su mejor aliado. Lejos de perder su tiempo en páginas sociales, se anotó en un curso de italiano y uno de francés y se puso a aprender lenguas extranjeras. Entre las tareas del colegio, las clases de arte y sus estudios de idiomas, llenaba bastante bien sus días. Sentía la mirada de su padre constantemente fija en ella, pero se acostumbró. Comprendía a su padre, su soledad, sus miedos... También sabía que se estaba enfermando seriamente, pero no sabía cómo ayudarlo, pues Kayden se negaba rotundamente a asistir a las citaciones de la psicóloga. De noche la niña lloraba en su cama, hablando con su madre, le decía cuanta falta le hacía, y le pedía apoyo.

María, a los setenta años firme defensora de su independencia, claudicó al ver la situación y se fue a vivir temporalmente en casa de su hijo para acompañar a su nieta, a la que amaba con todo su corazón. Pero ni su presencia ni sus consejos cambiaron el estado de las cosas.

Fue Selma quién, después de hablarle con paciencia y amor durante meses, lo sacudió rudamente de su modorra emocional.

— ¡Si tú quieres suicidarte, lánzate de un puente, pero libera a esta niña! —Le gritó exasperada después de intentar razonar inútilmente con él durante un largo rato— ¡La tienes encerrada en este purgatorio, impidiéndole vivir!

—La estoy protegiendo —contestó él con voz monocorde.

—¿Protegiendo de qué, si puede saberse? ¿De la muerte, que vendrá a buscarnos a todos, tarde o temprano? Si tiene que pasarle algo, le pasará esté donde esté ¡Se puede desprender el clavo que sostiene el crucifijo a la cabecera de su cama, este le golpea la cabeza y queda frita mientras duerme!

Su hermano la miró como si se hubiera vuelto loca.

Adrede Selma estaba siendo cruel, y los labios apretados de Kayden le hicieron comprender que iba por buen camino.

—¡Eyre tiene que aprender a vivir y a defenderse, y tú la estas castrando, pedazo de estúpido! Tu hija es una artista ¿es que no te has dado cuenta? ¿Quieres que desperdicie su don? Porque por la forma en que le estás cortando las alas ¡Nunca tendrá las agallas para lanzarse a recorrer mundo! ¿Quieres que el primer caza fortunas con que se cruce el día de mañana la engañe, porque está necesitada de amor e incapacitada para reconocer una trampa? ¡Repasa la vida de la hija de Onassis, y comprenderás!

—¿De qué estás hablando? —Preguntó violento— ¿Qué tiene que ver esta mujer con mi hija? ¡Eyre es una niña!

— ¡Eyre, como la otra, también es una heredera... ¡Aunque esto está por verse! Porque por el camino que vas, es posible que dentro de poco tu hija necesite quién le regale un plato de comida... ¡Y como le sucedió a la otra, tampoco está recibiendo las herramientas para que pueda desarrollar una autoestima firme y sana! ¡Algún día tendrá que defenderse sola ¿O te crees que tú podrás protegerla eternamente? ¿Piensas que vivirás doscientos años?

Selma siguió un rato más lanzándole verdades hirientes, luego se fue golpeando la puerta.

Lo dejó hirviendo de furia.

Cuando llegó hasta su auto una silla rompió el cristal de la ventana y voló hacia el jardín, seguida por adornos, mesitas y cuadros. Kayden gritaba como un poseso y estaba destrozando el salón pero ella, a pesar de la aprensión, sonrió lacrimosa y aliviada a la vez, pues su hermano finalmente dejaba salir la ira acumulada. Estaba manifestado una emoción, después de meses de apatía y rutina mortal.

Cuatro días después Brad, el chofer, retomó su lugar frente al volante para acompañarla a la escuela.

Eyre trató de no entusiasmarse ya que no observó otro signo visible de cambio. Su padre, demacrado y silencioso, la seguía como siempre con la mirada mientras ella estaba en su presencia, y escuchaba su parloteo sin manifestar que la estaba oyendo.

Pero sí que hubo cambios.

Porque Kayden, después de dieciséis meses de mirarla sin verla realmente, de preocuparse por ella sin siquiera preguntarse cuál era el peligro, había bajado de la nebulosa, y en un plan real, estaba observando mudo de asombro los cambios que había experimentado su hija.

Eyre era ya una adolescente, su cara se había afinado, acentuando aún más el parecido con su madre. Había crecido, y su cuerpo comenzaba a redondearse suavemente. Nunca sería voluptuosa como las mujeres McKey, pues su estructura ósea era igual de delicada que la de Rosalía, pero su hermosura y feminidad eran indiscutibles. Ya no era su niñita. Se dio cuenta dolorosamente que Selma tenía razón: su hija estaba creciendo, y pronto los hombres comenzarían a interesarse por ella ¿Sabría defenderse de la maldad humana? ¿Y tendría una herencia que le permitiera ser independiente?

Llamó a su abogado, y le pidió que contactara de inmediato con empresas auditoras en cada ciudad donde estaba un hotel McKey para que realizaran una revisión exhaustiva en la contabilidad de cada uno, lo que produjo que una semana después tuviera que comenzar urgentemente una gira por el mundo.

Cuando se lo comunicó, Eyre le lanzó los brazos al cuello.

—Ahora sé que estás regresando conmigo papá —le dijo sollozando— ¡Estabas tan lejos que creía te había perdido a ti también!

Aquellas palabras lo conmovieron casi tanto como la muerte de su esposa. Había sido tan insensible, tan egoísta, encerrado en su dolor...

La muchacha quedó al cuidado de su abuela y del grupo de empleados que la conocían desde que había nacido. Aunque Kayden la llamaba mínimo tres veces al día cuando estaba de viaje, y siguió siendo aprensivo y muy protector, poco a poco la niña pudo regresar a su vida normal. Sus amigos la visitaban y ella iba a sus casas, salían en grupo a un centro comercial o una matinée al cine, en este caso siempre supervisados por un adulto. Llegó el tiempo de los cosméticos y la atención exagerada a su aspecto físico, los admiradores y los besos robados...

A los diecisiete años, a punto de terminar la secundaria, sus amigas hablaban del sexo como si fueran vampiresas experimentadas, y ella no se había querido acostar con nadie aún. La presión era tanta que Chiqui, como todos la llamaban, comenzó a mentirles, inventando tal o cual aventura que en la realidad nunca sucedió. En su fuero interno se preguntaba si no tendría algo que no funcionaba bien, pues parecía que era la única que no tenía furiosos y frecuentes encuentros sexuales.

La angustia que experimentaba la llevó a confiarle el asunto a su tía, una mujer a quién admiraba mucho.

A sus casi sesenta años Selma aparentaba cuarenta. Seguía siendo una mujer independiente y emprendedora, dinámica y exitosa. Nunca se había casado ni había tenido hijos, cosa que mortificaba a María, pero desde hace años convivía con un compañero que la estimaba y no limitaba su libertad.

—¿Anormal? ¡Anormal sería que hicieras algo que no sientes de verdad! —le contestó con convicción.

—Escucha, chiquita —añadió en tono confidencial—, las exigencias que los jóvenes tienen por parte de la familia y la sociedad son tantas que necesitan desesperadamente alimentar su autoestima con algo que los haga sentir mayores. Es sexo es una vía, la más equivocada, pues puede tener consecuencias funestas, pero un camino al fin. Yo también fui joven, y te garantizo que la mitad de las acrobacias sexuales que relatan tus compañeros, son mentiras. En este aspecto los jóvenes son torpes e inexpertos.

—¿Y por qué parecen saber tanto, entonces?

—Alardean, te lo aseguro. Leen novelas, entran en internet, buscan información y la muestran como experiencia propia. No te amargues Chiqui, un buen día llegará un hombre que te deslumbrará, y sabrás que es el momento adecuado. Antes de que él llegue, no te esfuerces en hacer cosas que no desees.

Ella no alardeaba, pero siguió esperando a este príncipe azul que la hiciera "temblar de deseo", una frase que sus compañeras utilizaban a menudo.

Terminó la secundaria, y todos sus profesores le aconsejaron matricularse en una escuela de dibujo y pintura.

—Lo ideal sería en Europa, cuna del arte. Italia, o Francia...—Le dijeron al padre en el acto de graduación.

Tanto María como los tíos de la muchacha, presentes en el evento, se mostraron de acuerdo. Kayden siguió sonriendo mientras asentía, pero pensaba que todos estaban locos ¿Eyre viviendo sola en una ciudad al otro lado del mundo? ¡Ja, que risa! ¡Ni pensarlo!

Aquella misma noche sondeó a su hija.

—Sí papá, lo he considerado —contestó Eyre con aplomo—. Verás, es que no me imagino haciendo otra cosa que pintar. Entonces quiero prepararme muy bien para ello. He pensado matricularme en la Academia de Bellas Artes de Florencia, o la de París.

Kayden palideció y la miró mudo.

Eyre, con su apariencia de muñequita de porcelana, era mucho más fuerte de lo que la gente pensaba, por esto ya había forjado un plan para convencer a su padre.

—Sé que todavía soy menor de edad —añadió con calma—, por esto pienso que es mejor esperar un tiempo más antes de viajar al extranjero sola. Me inscribiré en una universidad local, pero solo cursaré un pregrado. Dos años, padre. Después de esto me iré a estudiar a Europa.

Él, aliviado, se tragó las docenas de protestas que ya había elaborado. En dos años lograría convencerla para que no se fuera de su lado...

Al cumplir los diecinueve, Eyre estaba instalada en un piso en París.

A la larga Kayden tuvo que ceder. Ella quería estudiar en Florencia, pero logró convencerla de que se fuera a Francia. La razón era muy sencilla: no había un hotel McKey en la ciudad italiana, y sí uno en París y quería tenerla bien vigilada por su personal de confianza. Al final no logró su objetivo, pues después de matricularse, la muchacha comenzó a buscar vía online un apartamento de alquiler.

—¡No entiendo por qué quieres esto! —Protestó su padre por centésima vez— ¡Puedes vivir en una suite de tu propio hotel y ser atendida como mereces, y quieres un mísero apartamento en alquiler!

—No tiene por qué ser mísero, sino decente y no muy ostentoso, papá. Es que no quiero presentarme como la típica heredera americana, pues tal vez no me tomen en serio, y yo quiero que en el Instituto me aprecien por mi talento, por lo que soy, no por lo que tengo.

—¿Tan malo te está resultando tener dinero? —refunfuñó el hombre.

—¡Para nada! —Ella le besó la punta de la nariz— Gracias a tu esfuerzo y tu trabajo he tenido ventajas que otros niños no tienen, pero no se trata de esto, papá. Si doy como dirección la suite de un gran hotel pensarán que soy una millonaria caprichosa que le dio por embadurnar telas y quiso asistir a una prestigiosa escuela solo porque puede permitírselo. Además ¿No fuiste tú el que me enseñó a ser humilde y no presumir de lo que tengo?

Kayden sabía que su hija tenía razón, que se estaba contradiciendo, pero desde la muerte de su esposa, cuando se trataba de Eyre perdía la perspectiva.

Eso sí, no consintió en que fuera a vivir en un sitio alquilado. Le compró un apartamento de dos habitaciones cerca de la universidad, y dejó que ella lo amueblara a su gusto, con piezas compradas en los mercadillos parisinos.

Eyre logró un ambiente cómodo y sin pretensiones, alegre y ecléctico, donde instaló pocos muebles, pero abundantes plantas y cojines de todo tamaño y color.

Varios meses después de comenzar las clases alguien descubrió sus orígenes, pero ya nadie podía discutir su extraordinario talento y su aplicación. Y como con su sencillez se había ganado la amistad de todos, su apartamento siguió siendo el punto de encuentro de sus compañeros para hablar de arte y de todo un poco. En este ambiente donde las inhibiciones eran casi nulas, se vio asediada por los requerimientos amorosos de muchos hombres. Respondió a besos fogosos, pero cuando los abrazos se volvían exigentes, su entusiasmo se enfriaba. De nuevo tuvo que inventar amantes misteriosos de los que no podía hablar mucho... Algunos respetaron su respuesta negativa, unos pocos respondieron con despecho al rechazo. Con estos últimos la situación se complicó cuando a Eyre le llegó el turno de servir de modelo en el salón de clase. Era habitual que los estudiantes posaran para sus compañeros, sobre todo las mujeres. Gordos, flacos, hermosos o poco atractivos, todos eran tratados con seriedad y respeto, pues cada músculo, cada curva, o la misma falta de ellas, eran motivo de estudios y trabajo. Los profesores eran sumamente exigentes con la imparcialidad, una sola señal de burla o desprecio hacia el modelo era causa de malas notas. No era obligatorio hacerlo, por supuesto, pero nadie se negaba. Eyre dudó bastante antes de mostrarse desnuda frente a veintitrés pares de ojos, pero las insinuaciones de que podía tener algo que esconder picaron su orgullo, y la decidieron a servir de modelo.

Un día que llevó dos pinturas suyas para enmarcar, el dueño de la galería la llamó para decirle que un cliente se había enamorado de ambas y quería comprarlas. Llena de orgullo, ella accedió, y este hecho siguió repitiéndose con mucha frecuencia.

Durante dos años Eyre vivó su vida con alegría y entusiasmo.

Cada día se afirmaba más como pintora, sus profesores admiraban su talento, y ella vivía largas horas plantada frente a un caballete, abstraída y feliz en su mundo. Su padre la visitaba regularmente, y ella volaba a Seattle cada vez que podía. También Selma fue a verla unas cuantas veces en este lapso, y hasta María pasó una semana en París, disfrutando con su nieta cada rincón de la ciudad. Un mes después, murió apaciblemente mientras dormía, sin sufrimientos ni largas agonías. Fue lo único que empañó aquella etapa de la vida de la joven.

Todo maravilloso, hasta la mañana en que se despertó con un extraño dolor de cabeza. Al rato desapareció, pero siguió presentándose en los días siguientes. Más molesta que asustada por el asunto, se realizó un examen de sangre, pero todos su niveles estaban perfectos. Comenzaba el mes de agosto, y ella tenía previsto viajar a su casa en un par de semanas, aprovechando unos días de asueto. Aparte del doctor Verber, el que fuera su pediatra, no conocía a ningún médico, pues siempre había sido muy sana. Después de la muerte de Rosalía lo había visitado esporádicamente, pero nunca perdieron el contacto. Con él se comunicó, explicándole lo que pasaba, y le preguntó a qué colega podía remitirla.

—En cuanto llegues ven al consultorio —le contestó él, contento de volver a verla... Y preocupado a la vez, pues su antigua paciente siempre había sido muy sana, y no era dada a las exageraciones. Aparte de enviarla a un ginecólogo que le recetó anticonceptivos para regularizar su menstruación, jamás había necesitado remitirla a ningún colega.

—Te mandaré a realizar un estudio, y dependiendo de los resultados, te remito a algún especialista, si fuera necesario.

En cierta forma, los terribles resultados de aquel estudio no pillaron desprevenido a Kayden McKey, pues desde la muerte de su esposa vivía con el terror de que a su hija le pasara algo, y también lo abandonara para siempre.

Pero, a pesar de su fatalismo, no se rindió con tanta facilidad. Después de llorar desesperadamente su dolor, comenzó a consultar sobre los médicos más renombrados del mundo en el tema. El doctor Verber los remitió a varios especialistas de su país, entre los cuales estaba el joven Alan Morris Logan, a quien Kayden, al principio, descartó precisamente por su juventud y supuesta falta de experiencia. Visitaron a unos cuantos, luego el hombre se decantó por los extranjeros.

Eyre, atontada e incrédula, consintió en dejar por un tiempo sus clases y lo siguió a todas partes, al comienzo confiada y llena de fe, pues no creía posible que todos sus sueños murieran antes de cumplirse. Fueron a Rusia, Australia, China...

Todos los médicos que visitaron convenían en lo mismo: el tumor no era maligno, pero estaba demasiado extendido y una operación podía ser muy arriesgada. Por supuesto, varios se ofrecieron a intervenirla, pero descartando cualquier responsabilidad sobre el resultado, pues los márgenes positivos eran tan pequeños y los riesgos tan grandes, que la muchacha fue perdiendo paulatinamente las esperanzas.

Kayden estaba a favor de una cirugía, y finalmente ella tuvo que sentarse y hablarle firmemente.

—¿De qué me serviría seguir viva, si puedo perder la movilidad, o quedar como un vegetal en una cama, papá? —le preguntó con calma— He analizado todo lo que han dicho los médicos... ¿Te imaginas cómo sería quedar inmovilizada, pero consciente? ¿Ver, escuchar, y no poder contestar? ¿O no poder sostener nunca más un pincel entre mis dedos?

—¡No puedo renunciar también a ti! —Gritó él, desesperado.

Ella pareció no escucharlo, y añadió:

— Si dejo las cosas como están, en unos meses... No sabemos cuántos, el... El tumor... Invadirá definitivamente mi cabeza y terminaré muriendo en paz y sin darme siquiera cuenta —. No le resultaba fácil ponerles palabras a sus futuros, terribles problemas de salud, pero sacó fuerzas para seguir manteniendo la calma frente a su padre.

—Si decido operarme, tal vez un día pudieras llegar a desear que estuviera muerta, y no en las condiciones en que esté...—Insistió la joven con la misma serenidad—No, papá, no me operaré. Mientras pueda, quiero seguir con mi vida normal. Buscaré atenuar los malestares que se me presenten, mientras sea posible. Si unos anteojos me ayudarán a ver mejor, pues los usaré. Y tomaré medicamentos para los mareos... O lo que sea... Que se presente.

Se quedó callada un momento, apretando las manos de su padre, pero sin permitir que sus sollozos desgarradores le hicieran cambiar de idea.

— Regresaré a París y reanudaré mis clases. Cuando reconozca que ya... No puedo... Volveré a casa.

Kayden protestó todo lo que pudo. Luego, sin fuerzas ya para luchar contra el destino y contra la firmeza de su hija, cedió a su razonamiento. Contactó a una agencia danesa altamente calificada, y explicó el caso de su hija. Los detectives que le asignaron a la muchacha tenían conocimientos de medicina y estaban preparados para intervenir si se presentaba la necesidad. Eyre nunca se enteró de que la seguían a todas partes, hasta en los salones del Instituto, ni se imaginó que los inspectores de todo tipo que tocaban indefectiblemente a su puerta cada vez que no salía de casa un día entero, eran en realidad sus guardianes. Si daba un simple traspié andando en la calle, siempre había alguien a su lado que la sostenía a tiempo. Si no llegaba a un estante en el supermercado, alguien estiraba la mano y le alcanzaba el producto que estaba buscando. Y cuando salía de casa o de la facultad, siempre había un taxi llegando al bordillo, listo para llevarla adonde quisiera...

En diciembre regresó para pasar las vacaciones de Navidad con su familia, y su padre le habló de Alan Logan.

—Verber me lo señaló desde el principio —le dijo excitado—, pero yo no le presté atención. Me informé chiquita, y parece que ha realizado operaciones casi milagrosas ¡Debemos ir a su consulta!

—No iré.

—¡No puedes perder la oportunidad de...!

—Me lo prometiste, papá —lo interrumpió la joven con firmeza—. Me prometiste que respetarías mi decisión.

McKey no logró convencerla, y finalmente voló a Boston y se entrevistó con el médico. Pero aunque el joven manifestó mucho más optimismo que sus colegas por el caso, su padre no la convenció.

Después de las vacaciones, ella volvió a París.

Se mantenía en contacto con uno de los neurólogos del Hospital de la Pitié-Salpêtrière, que había visitado al comienzo de su calvario, y cuando comenzó a presentar problemas de vista, este la remitió a un oftalmólogo.

—Unos anteojos te ayudarán a ver mejor, pero recuerda que el problema no está en tus ojos —puntualizó—. Puede que haya días en que verás todo perfectamente, otros en que la visión será más limitada.

El día en que su mano derecha comenzó a temblar impidiéndole realizar un trazo delicado en una tela, ella comprendió que el fin estaba llegando.

Volvió al médico, quien le recetó un medicamento para los temblores, pero obviamente era otro paliativo.

Salió del consultorio sabiendo que aquello era un adiós.

No volvería jamás, pues se acercaba el momento de cerrar con su vida actual y regresar al lado de su padre para esperar el desenlace.

Como si lo supiera, Fleur, la secretaria del médico insistió en devolverle unos libros que la muchacha le había prestado, y aunque ella quiso regalárselos, la otra no aceptó.

—Son libros caros, y son tuyos —alegó—. No puedo quedármelos.

Se excusó por no entregárselos en una bolsa, y Eyre, con el ánimo por el suelo, los cargó en los brazos, sin prestarle mucha atención a la bufanda que colgaba de mala manera de su cuello, y con los mismos, casi le parte la crisma a un joven de increíbles ojos azul noche que estaba sentado en el corredor...

TERCERA PARTE

EYRE

CAPÍTULO VIII

La operación duró ocho horas.

Alan regresó al quirófano encerrado dentro de una burbuja que lo mantenía a distancia de la realidad. Apenas acarició aquel rostro amado, y luego de preguntarle al anestesiólogo si la paciente estaba lista, pidió el bisturí.

Cerró sus sentimientos y sus pensamientos a otra cosa que no fuera lo que estaba haciendo, y trabajó con una paciencia admirable. La cámara situada en la punta del endoscopio enviaba las imágenes y él, lentamente, con precaución, fue removiendo el tumor tratando de no rozar siquiera los pliegues del cerebro. Sus manos estaban firmes, su visión alerta. Los componentes de su equipo lo observaban reteniendo la respiración por momentos, siempre admirados por su pericia, atentos a cualquier requerimiento. Como de costumbre, aparte de sus asistentes habituales estaba presente también un neurólogo, un especialista en oncología radioterápica, y por si acaso, un cardiólogo. Conforme pasaban las horas todos tenían las piernas cansadas y entumecidas, pero nadie le prestaba atención al hecho. Lo que estaban presenciando era una especie de milagro, pues al ver las imágenes, luego el tumor en sí mismo, no creían que se hubiese podido remover.

Pero el joven cirujano les estaba demostrando lo contrario.

Nadie sabía lo que se estaba jugando Alan Morris Logan en aquel momento. Nadie hubiese adivinado los sentimientos que albergaba en su corazón, al verlo tan firme y seguro.

A final, no le dejó a Lester Harrison la tarea de instalar la plaquita de metal que sustituiría el trozo de hueso del cráneo que removió, como siempre hacía, sino que él mismo terminó el procedimiento y dio amorosas e invisibles puntadas en el cuero cabelludo de la muchacha.

Cuando dejó la aguja y se quedó mirando fijamente el rostro de la paciente, Helen comprendió que en realidad no lo estaba viendo. Había trabajado como en trance, y todavía no salía del mismo. Y ahora que había llegado casi al final de la tarea, sus fuerzas se estaban agotando.

Dios no quisiera que se presentara la necesidad de volver a abrirle el cráneo a la joven...

Según los cálculos del anestesiólogo, ya Eyre estaba a punto de despertarse. Todos esperaban ansiosos, algunos reteniendo la respiración. Al despertarse sabrían si todo había salido bien. Dependiendo de cómo reaccionaba el paciente, había habido casos, muy raros ciertamente, en que se presentaba la necesidad de regresar al cerebro del mismo para realizar algunos ajustes.

Pero los minutos pasaban y Eyre no respondía a ningún estímulo.

Kayden McKey estaba sentado en la sala de espera, pálido y demacrado. Cuando vio acercarse a Alan Logan se levantó lentamente, sin proferir palabra. Tampoco Selma se atrevió a preguntar nada. Ambos parecían fascinados y horrorizados a la vez por su expresión solemne.

—Técnicamente la operación salió perfecta —les dijo sin querer alargar su agonía—. Pero... Chiqui entró en coma.

—Coma —repitió Kayden anonadado, como en un sueño, mientras su hermana dejó escapar un sonido ahogado.

—Esto no tiene por qué ser necesariamente negativo —se apresuró a añadir Alan—. A veces, es una forma en que el cerebro reacciona al trauma que ha sufrido. Entra en una especie de temporizador neutro mientras realiza los reajustes necesarios para adaptarse a una nueva situación.

—¿Cuál situación nueva? —Inquirió Selma asustada— ¿Acaso Eyre ... ¿Ella... Hubo algún cambio en sus funciones...?

—¡No, no! —Alan se apresuró a interrumpirla, luego respiró profundo. No se estaba portando de manera muy profesional. Si no se calmaba y no explicaba con coherencia, le provocaría un ataque a aquellos dos seres.

—Recuerden que, con el transcurso de los meses, el tumor fue presionando el cerebro de Chiqui buscando espacio mientras crecía—expuso con la calma que logró reunir—. Ahora que ha sido extirpado hay un vacío, a esto me refería como situación nueva. La masa cerebral se tiene que expandir de nuevo para rellenarlo y buscar su estado anterior. En algunos casos, el coma persiste mientras el organismo del paciente se reacomoda a este nuevo acontecimiento, luego despierta.

—En algunos casos —murmuró McKey, abatido.

Alan asintió.

—No puedo mentirles —les dijo con impotencia—. En otros casos... El paciente permanece en coma. Son porcentajes menores, pero no puedo excluir la posibilidad.

—Pero no ¡No podemos ponernos negativos, bajo ningún concepto! —Exclamó con repentino ímpetu — Chiqui se despertará pronto y en plena posesión de sus facultades, ¡Me niego a considerar otra opción!

Los hermanos McKey estaban afligidos por las noticias y también sorprendidos por la vehemencia con la que hablaba el joven, quien movía las manos frente a sí como si quisiera espantar la posibilidad de que ella no se recuperara.

—Puede que alguna de sus funciones resulte levemente afectada, en cuyo caso necesitará algo de terapia — añadió—. Pero estas secuelas son perfectamente normales en operaciones de este tipo. ¡Esta es la esperanza a la que debemos aferrarnos!

—Pero usted no puede asegurarnos que este sea el caso de Eyre —inquirió el padre en voz baja.

—No, no puedo asegurarlo —contestó Alan—. Ya se lo expliqué la primera vez que hablamos, señor McKey. Le hablé de todas las posibles consecuencias...

Pareció desinflarse de golpe; sus hombros bajaron y sus brazos colgaron flojamente al lado del torso.

—Regreso a terapia intensiva, a ver cómo sigue...

Se giró lentamente y se fue por donde vino, abatido.

Kayden y Selma se miraron.

—Dijo que la operación había salido técnicamente perfecta —murmuró el padre—. Esto es muy esperanzador. Y... ¿Fue impresión mía, Selma, o parecía personalmente afectado?

—No, no estás equivocado, yo también lo noté —contestó la mujer—. Y lo escuché llamarla Chiqui. Me pareció extraño. Tú siempre la llamas Eyre, y aparentemente él nunca ha hablado con ella. No entiendo cómo supo del diminutivo con el que la llamamos.

—Sí, me di cuenta —contestó Kayden, pensativo—. Estaba emocionado, y por un momento llegue a pensar que nos estaba mintiendo sobre el estado de Eyre. Luego comprendí que era otra cosa... Aunque no sabría decirte exactamente qué.

Ninguno de los dos supo encontrar una respuesta al asunto.

La sala de cuidados intensivos estaba helada, pero Alan no sentía el frío. Había seguido a los enfermeros que llevaban la camilla, y conectó personalmente los aparatos que medían sus constantes vitales. Cuando estuvo instalada, a su pesar tuvo que alejarse un rato, pues era su deber hablar con los familiares del paciente, y una vez que conversó con Kayden y la hermana se puso ropa limpia, la que cubrió con una bata esterilizada, y se apresuró a regresar. Ahora, sentado al lado de la cama de Chiqui, le mantenía la fría mano agarrada, tratando de transmitirle su fortaleza, su amor, su vida misma.

—Lucha mi amor, lucha —murmuró en voz baja, tratando de esconder su desesperación—. Yo hice todo lo que estaba en mis manos, ahora depende de ti, de cuántas ganas de vivir tengas. Y debes vivir por mí ¿Sabes? Porque no puedes dejarme, no ahora que descubrí cuánto te amo... Pero ¿Qué sientes tú por mí? ¿Por qué te escapaste de mi lado? La incertidumbre me atormenta. Necesito escuchar de tu boca qué significo para ti...

A altas horas de la noche, anquilosado y aterido de frío, se decidió a salir de cuidados intensivos. Al pasar por la sala de espera vio a Kayden encogido en uno de los sillones, ojeroso y con la mirada fija en el vacío. El hombre se animó un poco cuando lo reconoció, y se levantó con premura.

—¿La ha visto doctor, ha habido algún cambio? —inquirió ansioso.

Él negó con la cabeza.

—Vengo de verla, señor McKey. Pero no, no hay cambios en su estado.

No le dijo que había pasado las últimas seis horas sentado a su lado...Luego, aun sabiendo   que estaba infringiendo el reglamento añadió

—¿Quiere verla un momento? No podrá entrar, pero la puerta tiene vidrio y permite ver el interior.

La expresión agradecida del hombre bien valió la mirada de desaprobación que le lanzó la enfermera de turno. Pero, al ver que no traspasaban la puerta, la mujer se tranquilizó. Lágrimas de impotencia surcaban el rostro del padre mientras rozaba el vidrio con la punta de los dedos.

—Mi niña... Mi Chiqui amada...—murmuraba con desesperación.

A pesar de sus deseos, Alan tuvo que llevarlo de vuelta a la sala de espera.

—¿Me acompañaría a tomar un café, doctor? —preguntó Kayden, suplicante.

Alan estaba agotado. Quería irse a su casa y dormir unas horas, y al mismo tiempo hubiese querido quedarse ahí todo el tiempo, al lado de la mujer que amaba, No se hizo rogar y fueron juntos a la cafetería del hospital.

—Debería ir a su casa a descansar un rato —le dijo al hombre, al ver sus ojeras y su expresión de agotamiento.

—Mi hermana también insistió para que me fuera con ella, pero no puedo alejarme de aquí... No puedo dejar sola a mi hija.

—Que esté usted aquí o no, señor McKey, no cambiará el estado de su hija.

—Lo sé, lo sé, pero... Siento que sería como abandonarla. Yo siempre he tratado de estar cerca de ella, sobre todo desde que murió mi esposa... Me pregunto por qué decidió operarse tan repentinamente, cuando rechazó la posibilidad durante meses...

Alan también se lo preguntaba. Recordaba con claridad las respuestas a sus correos electrónicos, Eyre le decía que no quería enfrentarse a un resultado dudoso. Pero, evidentemente, algo le hizo cambiar de idea. Algo tan poderoso que la llevó a desafiar las posibilidades que estaban en su contra.

Removiendo su café, Kayden parloteaba en voz baja, tratando de calmar su ansiedad, y Alan escuchaba con avidez lo que el padre le contaba, pequeños detalles sobre la vida de la muchacha que él desconocía.

—Me dio las mayores satisfacciones, siempre fue buena hija y buena estudiante... Todo el que la conoce termina queriéndola, es tan dulce, amable y compasiva...

—¿Por qué la llaman Chiqui?

—Mi mujer era española. Comenzó a llamarla así en cuanto la tuvo en los brazos—le explicó el pobre padre, atribulado—. Su chiquita... Y todo el mundo adoptó el nombre, pero para mí siempre fue Eyre. Es el antiguo nombre para designar a Irlanda, mi tierra de nacimiento. Hace referencia al hecho de que en Irlanda cada rey debía tener su reina, puesto que cada hombre está completo y feliz solo cuando tiene una compañera, la que estará a su lado para siempre.

Se detuvo un momento, lo justo para tragarse las lágrimas que cerraban su garganta.

—No podía escoger para ella nombre más apropiado —añadió con emoción—. Eyre siempre fue una princesa de alma y espíritu, y será una espléndida reina al lado del hombre que le entregue su corazón, pues es fuerte, leal y generosa. Cuando se entrega no escatima nada, da lo mejor... Lo mejor de sí...

Alan quería decirle que él ya le había entregado su corazón, que la amaba como nunca pensó que podría llegar a amar a una mujer. Pero no sabía qué sentía la muchacha por él ¿Correspondería a sus sentimientos? Y frente a la duda no quiso abrirle su corazón al otro hombre.

Más adelante se arrepentiría de haber callado, pero en aquel momento creyó que era lo mejor que podía hacer.

En los días siguientes, las condiciones de la joven no cambiaron. No empeoraba, sus signos vitales permanecían estables, pero tampoco reaccionaba. Alan sabía que, dado el reglamento, la jefa de la sala no podía proporcionarle más de un par de frazadas para abrigarla, por ello, vista la temperatura gélida del área, le pidió a su madre que le llevara una cobija. La muchacha terminó envuelta en un cálido edredón blanco, escondido debajo de la ligera manta reglamentaria. Ya su piel no estaba helada, ni sus labios azulados, sino que habían recuperado su color rosado, pero ¿Cuándo recuperaría la consciencia?

Finalmente, Alan llevó a Kayden, vestido con un equipo esterilizado, a visitar a su hija. Mientras se acercaba, al ver la cantidad de aparatos que rodeaban la cama y los cables que viajaban desde estos hasta debajo de la ropa que la cubría, el hombre se acobardó. La referencia que tenía era la estadía de su esposa en una sala parecida, cuando nació Eyre, y luego del accidente, durante las pocas horas que sobrevivió. Pero la visión de su niña amada no fue tan terrible como imaginaba, pues aparte el vendaje que rodeaba su cabeza la muchacha parecía apaciblemente dormido. No presentaba signos exteriores de sufrimiento. Al contrario de la lividez impresionante y la opacidad de la piel de Rosalía en su trance de muerte, las mejillas de Eyre mostraban el acostumbrado tono opalino y su mano, cuando la apretó, era suave y tibia. Esto calmó un poco la angustia del hombre. Acercó su rostro cubierto con la mascarilla al de la muchacha y comenzó a hablarle en gaélico.

Alan no entendía una palabra de lo que le estaba diciendo, pero su tono y el amor que transmitían sus ojos llorosos lo decían todo.

—Está cálida —murmuró a cierto punto el hombre, que no soltaba la mano de la joven—. Recuerdo el frío polar de estas salas, y me imaginaba que mi niña estaría helada.

—No, Chiqui no —contestó Alan—. Yo la arropé...

Kayden lo miró agradecido. Pese a esto, al ver cómo, queriendo enfatizar sus palabras, el médico tomó el borde de la cobija y la acomodó un poco más debajo del mentón de ella, sintió cierta incomodidad, pues lo hizo con cuidado, con amor, como lo haría un padre con su hija, y este gesto demostraba una familiaridad que, suponía él, no era frecuente entre médico y paciente.

Todos los instintos de Kayden se despertaron.

Y en los días siguientes estuvo muy pendiente de cada palabra, de cada gesto del joven médico.

Todos los días le permitían pasar unos minutos al lado de su hija, y al ver su actitud sumisa y obediente, las enfermeras también lo dejaban mirar por ratos desde el vidrio de la puerta a la muchacha. Y así Kayden se dio cuenta de las horas que Alan Logan pasaba sentado al lado de su hija, hablándole, apretándole la mano, acariciándole la frente. No escuchaba lo que le decía, y de poder hacerlo se hubiese quedado muy sorprendido...

—Y aquí estoy, amor mío, sin saber qué haré con mi vida si tú no reaccionas —era lo que le repetía—. No fue mi intención entregarte el corazón mi Chiqui, pero lo hice. Ahora es tuyo y de ti depende decidir qué harás con lo que te pertenece. Porque yo ahora te pertenezco en cuerpo y alma. Lo comprendí demasiado tarde, y no sé lo que tú sientes por mí... Y mientras espero saberlo, no me queda otra alternativa que repetirte que sin ti ya nada será igual, que mi vida no tendrá sentido si tú no estás a mi lado. Me siento tan vacío amor mío, necesito escuchar tu voz, ver tu sonrisa, sentir tus manos que me acarician...

Alan dividía su tiempo entre la silla al lado de la cama de su amada y en conversar con el padre de ella. Llamó a París e informó que no podía regresar en la fecha prevista. Tenía dos operaciones programadas y varias conferencias, pero podía aplazarlos unos pocos días.

Nunca había soñado que al enamorarse sus sentimientos se profundizarían en tales proporciones que jamás podría controlarlos. Con un amor tan hondo a un ser humano no le quedaba más que rendirse...

—Te digo Selma, que la actitud de este joven no es normal —le dijo Kayden en cierto momento a su hermana, ceñudo—. Comprendo si pasara a verla cada día pero ¿Qué medico se siente en la obligación de dedicarle horas y horas de su tiempo a una paciente? Han pasado casi dos semanas desde que la operó, y prácticamente no se ha movido de su lado. Al principio pensé que había cometido algún error en la operación, y su conciencia no lo dejaba tranquilo. Pero el caso de Eyre fue sonado, y todos hablan del excelente trabajo que realizó... Los miembros de su equipo, que también han venido a visitarla, de pasada Selma, ¿Lo oyes? unos minutos como es lógico, bueno... Ellos lo tienen como a un dios. Dicen que lo que realizó con nuestra niña fue un milagro, que jamás lo habían visto desplegar semejante experticia y maestría. Entonces su interés es debido a otra cosa...

—¿Otra cosa como qué? — Preguntó ella, exasperada e intrigada a la vez—Este hombre no puede tener un interés sentimental. Nunca la había visto hasta la mañana en que la operó. ¡Y no me parece que alguien se enamore con tanta facilidad de un cuerpo acostado en una camilla, por más hermoso que sea este cuerpo!

— ¿No has escuchado hablar de ciertos sádicos capaces de hacerle el amor hasta a un cadáver?

Selma lo miró incrédula.

—Te pasaste Kayden —murmuró disgustada—. Tu afán de protegerla te hace ver fantasmas en cada esquina. ¿Cómo podría violarla en una sala donde está acostada con otros pacientes, y en donde circula personal médico todo el tiempo? Lo que estás pensando de este muchacho no tiene perdón. Porque a mí él no me inspira nada tan negativo, al contrario... Me parece un hombre muy respetuoso y entregado a su labor. Deberías agradecer que le dedique tanto tiempo y cariño a Chiqui.

Al día siguiente de tener McKey esta conversación con su hermana, Alan le comunicó que tenía que regresar a París.

No estaba muy contento, no quería dejar a Chiqui, pero no le quedaba alternativa puesto que desde hace una semana tenía que haber regresado al hospital francés, donde lo esperaban varios pacientes.

—Serán solo unos días, amor mío —le susurró a la inconsciente muchacha, hablándole como siempre lo hacía, como si ella lo estuviera escuchando. Luego, ajeno a la presencia del padre, que espiaba desde el vidrio, acercó la mano a la mejilla femenina y la acarició con la punta de los dedos, levemente, como si fuera una pluma. Los mismos dedos bajaron hasta los labios inertes y los bordearon una y otra vez. No fue un toque casual, sino un roce buscado y repetido, anhelante y apasionado.

Aquella caricia era tan íntima, tan de amantes, que Kayden se espeluznó.

Boquiabierto, observó la brillante mirada del médico que viajaba desde los labios de su hija a los párpados cerrados, la frente, las mejillas, de nuevo a los labios…

"Lo voy a matar" pensó iracundo. No quería montar una escena en aquel sitio, por esto se apresuró a salir hacia la sala de espera, en donde Alan se le reunió pocos minutos después. Antes de que Kayden pudiera decirle nada, el médico le comunicó que al día siguiente, temprano, saldría de viaje

—Antes de pensar en alejarme he estado esperando a que su hija recupere la conciencia —le confesó a Kayden, tratando de esconder su angustia— pero no sabemos cuánto tiempo puede pasar... Y yo no puedo aplazar los compromisos adquiridos en París.

Vio la expresión alterada del otro hombre, pero ni se imaginó a qué era debida. Más bien pensó que al otro le preocupaba el hecho de que él se fuera del país.

—No se preocupe señor McKey, su hija quedará en muy buenas manos —se apresuró a tranquilizarlo—, mi asistente, Lester Harrison, está muy capacitado, es un médico brillante y asistió a la operación. Conoce el caso de Chiqui en todos sus aspectos. Debemos retomar la rutina, señor McKey —añadió más para sí mismo que en beneficio del otro— Es lo que le aconsejo a usted también. Ojalá y el estar aquí presente cambiara la situación, pero solo queda esperar y confiar en Dios.

—Sí, tiene razón —convino, aprovechando aquella inesperada oportunidad—. Debo organizarme para regresar a Seattle, a mi casa. Debo comenzar a planificar, por esto le pregunto... ¿Eyre podrá ser trasladada en avión? Son cinco horas de vuelo.

Alan reflexionó unos momentos. No había pensado en este traslado, ni se le había ocurrido que se la llevaría lejos de Boston, pero tenía toda la lógica del mundo puesto que no vivían ahí.

—En principio puedo decirle que no hay ningún problema, tomando las debidas precauciones, naturalmente —admitió con sinceridad—. Todas las funciones vitales de Chiqui se mantienen inalteradas, ella respira por sí misma. Es como si estuviese profundamente dormida... De hecho, la única máquina a la que está conectada es la que registra todos estos movimientos trascendentales. Sin embargo, creo conveniente que espere un tiempo antes de moverla. Espere mi regreso.

—Váyase tranquilo, doctor. Sé que mi hija estará bien atendida... —

De esto me encargaré yo, pensó.

—Cuando usted regrese planificaremos el viaje. Y, doctor...—añadió —quiero agradecerle todo lo que usted hizo por Eyre.

El médico asintió ligeramente.

—Nos vemos a mi regreso...

CAPÍTULO IX

Cuando Lester lo llamó para decirle que Kayden McKey se había llevado a su hija del hospital, Alan pensó que estaba bromeando.

Kayden había actuado con premura. La misma tarde en que Alan le dijo que se iría a Paris contrató a un médico y a dos enfermeras para que los acompañaran en el viaje. Al día siguiente fletó un avión privado y compró un aparato igual al que estaba conectada la muchacha.

Lester, llamado con urgencia, no logró convencerlo para que cambiara de idea.

Kayden McKey, asumió la responsabilidad del traslado de su hija y firmó todos los documentos que le dieron a firmar.

Luego la paciente fue llevada en ambulancia hasta el aeropuerto, arrebujada en mantas de lana y acompañada por su padre, su tía y el personal médico.

Mientras Alan entraba en el quirófano para operar a su primer paciente en París, el avión donde ella viajaba levantaba vuelo.

Cuando pudo contactar al padre de la muchacha, éste se mostró algo frío y distante.

—Seguí su consejo doctor. Usted me dijo que debía retomar la rutina, y el primer paso fue regresar a casa.

—Sí, pero habíamos quedado en que usted esperaría mi regreso para trasladar a su hija.

—Cierto, pero luego pensé que no tenía por qué retrasar la salida. Sus palabras fueron que quedaba esperar y confiar en Dios, y ya que no había otra cosa que hacer, pensé que mi hija estaría más cómoda en su casa que en un hospital.

Alan no podía rebatir sus argumentos, pero tampoco entendía la actitud tan radical del otro. Y menos entendió cuando le dijo:

—Doctor Logan, agradezco profundamente lo que usted hizo por mi hija. En el hospital todo el mundo hablaba de lo difícil que fue la operación de Eyre, pero creo que ya debe olvidarse de mi hija...

—¿Olvidarme? —Parpadeó incrédulo.

—Sí, creo que debería...

—¡Señor McKey, como usted mismo acaba de decir, la de su hija fue una operación muy complicada, de la que aún no conozco el resultado! —Lo interrumpió molesto— ¡No puede pedirme que me haga a un lado y me olvide!

—¡Pero por supuesto que le informaré si hay algún cambio en el estado de mi hija! Tiene todo el derecho de saberlo. Mientras tanto, siga tranquilo su trabajo. Estamos en contacto doctor...

Y colgó.

Alan miraba incrédulo el teléfono mudo. Se preguntó si el hombre se habría vuelto loco o qué le pasaba. Y siguió preguntándoselo luego, al ver que el otro no atendía sus llamadas.

Durante las siguientes dos semanas, las más terribles de su vida, nada supo de Chiqui. Atendió pacientes, dio charlas a los estudiantes de la universidad, operó, terminó el ciclo de conferencias que tenía pautadas. Todo esto tratando de no pensar en su desdicha, en la ausencia de noticias.

Finalmente llegó el momento en que cerró sus maletas y se dirigió al aeropuerto para abordar un avión que lo llevaría directamente a Seattle.

Al llegar, alquiló un automóvil, se dirigió al hotel que había escogido y ahí se bañó y se cambió. Eran las diez de la mañana, estaba cansado por el viaje, pero esto podía esperar, en comparación a la ansiedad que experimentaba el cansancio no era nada.

Salió directo hacia la residencia de los McKey. Encontrar la dirección no significó ningún problema: en la era digital ya la privacidad no existía, el verdadero problema era ¿Qué le diría al padre de la muchacha una vez llegara ahí? Estaba claro que el hombre había querido alejarlo de su hija, aunque Alan no comprendía el por qué, y aparte de la angustia personal que le había causado, esta había sido una actitud nada ética, a decir poco. Porque él había realizado una operación muy difícil con resultados excelentes a pesar del coma, pues este se escapaba de sus manos y era una consecuencia del mismo trauma que había sufrido el cerebro. No era la primera vez que sucedía, no representaba ninguna sorpresa. McKey no podía culparlo de nada, pero aun así Alan decidió que no tocaría la parte médica para justificar su presencia, sino que le diría la pura verdad.

Como era de esperar la casa de McKey era lujosa y rodeada por un parque. El corazón se le aceleró cuando tocó el intercomunicador y dijo:

—Soy el doctor Alan Logan, vine a ver al señor McKey...

Esperaba un mínimo de resistencia, pero el hombre que respondió más bien pareció alegrarse de su llegada ya que lo interrumpió en seguida exclamando:

—Ah sí, sí ¡Pase doctor lo estábamos esperando!

Obviamente estaban esperando a otra persona, pero él se apresuró a entrar en la propiedad, una vez que la reja se abrió. Subió por el corto vial flanqueado por árboles y macizos de flores y estacionó frente a la puerta de entrada. La casa, rodeada de un porche sostenido por blancas columnas, era grande más no ostentosa, constató mientras bajaba del vehículo. La puerta se abrió y salió Selma McKey con expresión excitada. Pero su sonrisa se transformó en perplejidad cuando lo vio subir lo escalones hasta donde ella estaba.

—¡Doctor Logan! —Exclamó sorprendida.

—Creo que no es a mí a quien esperaba ver — dijo él después de saludarla.

—Hemm en realidad no... Estábamos esperando al doctor Frederick, que ahora atiende a mi sobrina —dijo ella, nerviosa—. Pero ya que está aquí... Aunque no sé si Kayden... Él realmente...

Lo miró dudosa y Logan comprendió que estaba en un dilema. Pero, fuera lo que fuera, decidió que podía confiar en ella. Además, no le quedaba alternativa.

—Señorita McKey, no sé qué le pasa a su hermano, parece que no quiere que me vuelva a acercar a Chiqui, pero yo necesito decirle...——respiró profundamente— Yo... Conocí a su sobrina en París... Pasamos unas semanas juntos... Luego podré hablarle de los detalles, ahora debe saber que me enamoré perdidamente de ella.

Selma abrió los ojos como platos, y se llevó las manos a las mejillas.

—La alejaron de mi lado... Y me estoy volviendo loco —añadió Alan de un tirón— ¡Si no me dejan verla, será como prohibirme respirar!

La mujer sonrió, una sonrisa hermosa y radiante, muy parecida a la de su sobrina.

— ¡Es maravilloso, no sé por qué, pero imaginé algo parecido! —Exclamó emocionada. Luego pareció tomar una decisión.

—Venga conmigo —le dijo haciéndose a un lado. Sin hacerse rogar él se apresuró a entrar. Apenas tuvo tiempo de observar el amplio salón con muebles claros, ya que ella cerró la puerta, lo tomó de un brazo y lo arrastró trotando hacia la escalera rematada por una hermosa baranda de hierro forjado.

—¡Chiqui esta mañana se movió y trató de abrir los ojos! —Le dijo sin preámbulos.

—¡¿Qué!? —Alan se detuvo de golpe, impactado.

—Sí, sí. —Ella lo volvió a halar y siguió subiendo a saltitos, mientras le explicaba precipitadamente:

—Mi hermano ayer salió de la ciudad y me pidió que me quedara aquí... Esta mañana, temprano, la enfermera me despertó para decirme que Chiqui se estaba moviendo... Llamé al médico y a Kayden. Deben llegar de un momento a otro...

Entraron en una amplia y luminosa habitación, y él lo único en lo que se fijó fue en la muchacha tendida en la cama, al lado de la cual una enfermera sentada tomaba notas. Chiqui, su amor, dormida e indefensa... A un mes de haberla operado, los cabellos comenzaban de nuevo a crecer, pero la falta de los mismos no la afeaba, más bien resaltaba la perfección de su rostro.

—Señorita McKey de nuevo se ha estado moviendo— declaró la enfermera con aire profesional, sacándolo de su ensoñación...

Alan, sumergido en la visión de la mujer que amaba, de repente volvió a la realidad y el profesional tomó el mando de la situación.

—¿Hace cuánto lo hizo? —preguntó despojándose del abrigo y dejándolo sobre una silla.

—Hace un minuto... —La mujer reconoció el tono y lo miró frunciendo las cejas.

—Por favor, préstame la historia —pidió él.

—Es el doctor Logan, el médico que la operó —se apresuró a explicar Selma al verla dudar.

—Sí, bueno, pero yo solo me reporto con el doctor Frederick —declaró la mujer poniéndose de pie.

—Enfermera, comprendo y respeto su actitud, pero se trata de una emergencia —le dijo Alan cortésmente. Y al ver que ella no pensaba entregarle los papeles que apretaba en la mano él se los quitó con decisión.

—La paciente está bajo mi responsabilidad, y por más que la haya operado no puedo permitir esta intromisión...

Las protestas de la mujer se mezclaron con otra voz que llegaba desde la escalera. Alan, ajeno a todo, leyó que la muchacha se había movido la primera vez a las cinco y cuarenta y siete de la mañana. Había repetido el movimiento dos veces más a intervalo de veinte minutos y hacía dos minutos había intentado abrir los ojos.

Mientras Kayden entraba excitado Alan, sin prestarle atención, soltó la historia, se curvó y buscó la clavícula de la muchacha. Hundió los dedos y apretó. La estaba lastimando pero necesitaba hacerla reaccionar...

—¿Qué pasa? ¿Qué ha pasado? —inquirió el padre respirando agitado.

Entonces lo reconoció.

—¡Doctor Logan! Pero...

Antes de que dijera una palabra más frente a la enfermera, que observaba con los labios apretados, Selma levantó la mano y le intimó perentoriamente que se callara. En el silencio subsiguiente se escuchó la voz de Alan:

—Chiqui, cariño... Sé que me oyes, por favor intenta abrir los ojos.

Apretó un poco más, a sabiendas de que tal vez le saldría un moretón.

—Pequeña, sé que tú puedes, esfuérzate un poco...

Y entonces una mueca de dolor comenzó a deformar los hermosos rasgos de la muchacha. Movió ligeramente la cabeza de un lado a otro.

—¡Se mueve, se está moviendo! —Kayden comenzó a temblar.

—Cariño, por favor, mírame ¡Mírame Chiqui! —La apremió él.

Kayden, del otro lado de la cama que ocupaba el médico, hundió una rodilla en el colchón y se acercó a su hija.

Sus pestañas aletearon. Chiqui parpadeó varias veces y finalmente sus miradas se encontraron, al principio la de ella desenfocada y errática. Pero luego lo reconoció. Fue un momento largo, eterno, mientras el cerebro procesaba la visión. Luego los labios femeninos se estiraron y la sonrisa que tan bien él conocía lo encandiló, alejándolo de todo lo que no fuera aquella luminosa visión.

—Alan... amo ío...

Fue un ronco graznido, que no dejó entender bien las palabras. Y durante un segundo Kayden, que era el que estaba más cerca de la muchacha, se quedó perplejo. Luego la impresión pudo más que la duda.

—¡Habló! ¿La oíste Selma?, habló! —Exclamó emocionado.

La aludida lanzó una ronca carcajada, asintiendo.

—¡Voy a llamar al doctor Frederick! —la enfermera salió con premura de la habitación.

—¡Eyre, princesa! ¿Me escuchas nena? ¡Por favor, mírame! —Rogó el padre.

Ella giró un poco la cabeza hacia la izquierda.

—Papá...Tía...

—¡Nos reconoció, doctor nos reconoció!

Alan, a punto de sucumbir él mismo a la emoción, se esforzó para regresar al momento presente. A Dios gracias, parecía que la memoria de a muchacha no había quedado afectada.

—¡Es maravilloso señor McKey! Ahora permíteme realizarle algunas pruebas...

—Sí, sí.

El hombre bajó de la cama, y vio como el joven tomaba entre las suyas las manos de su hija.

—Aprieta mis manos, Chiqui.

Ella lo hizo, con poca fuerza, pero curvó los dedos alrededor de los del joven.

—Bien —sonrió él mientras la dejaba y levantaba el cobertor, dejando sus piernas al descubierto.

—Cariño trata de mover los dedos de los pies —los tomó y sintió el movimiento, claro y evidente.

—Ahora levanta las rodillas...

Ya se estaba adormeciendo de nuevo, pero con los ojos cerrados dobló un poco las rodillas hacia arriba.

—¡Muy bien! —Exclamó, pero ella ya no lo escuchaba. De nuevo se había sumergido en su sopor, cosa que no dejaron de observar su padre y su tía.

—¿Chiqui? Doctor ella de nuevo... Se durmió —La voz de Selma sonaba asustada, así como la expresión de Kayden.

—Tranquilos —él levantó las manos con las palmas hacia adelante—después de un coma, los despertares súbitos y completos se dan solo en las películas —explicó mientras volvía a cubrirla—. La realidad es otra. Chiqui irá recuperando la conciencia gradualmente, Volverá a despertarse y permanecerá ratos siempre más largos consciente, hasta retomar su ritmo normal...

Y mientras hablaba, estiró la ropa de la cama, acomodó el brazo de la muchacha sobre el cobertor y lo acarició, le apretó la mano, luego subió hasta su rostro y lo rozó con las puntas de los dedos. Entonces, se dio cuenta de lo que estaba haciendo y se inmovilizó, alzó la mirada, se encontró con la de Kayden McKey y se dio cuenta de que sus sentimientos habían sido descubiertos. La expresión de censura del otro hombre le dijo que esperaba una explicación.

—La conocí en París hace unas semanas —murmuró entonces, en voz baja. — Yo... Estoy perdidamente enamorado de ella, señor McKey.

El ponerle palabras a sus sentimientos hizo que sus emociones contenidas se desbordaran. Un nudo cerró su garganta, y estuvo a punto de largarse a llorar ahí mismo.

—Pero... Usted nunca me comentó... Me dijo... Que la conocía —balbuceó el padre.

—Creo que deben sentarse a hablar —intervino Selma con voz emocionada.

—Sí —convino Alan—, y debí haberlo hecho antes de salir de viaje. Me hubiese ahorrado casi tres semanas de angustia mortal.

La enfermera interrumpió el momento, entró diciendo que el doctor Frederick estaba atrapado en el tráfico y llegaría en cuanto pudiera, Luego observó a la muchacha y aconsejó que la dejaran descansar.

—Le diré a Rice que suba café y un refrigerio —Selma sonrió ampliamente y le palmeó a Alan el antebrazo, con simpatía.

—Creí que se llamaba Chiqui Álvarez —explicó Alan poco después, sentado frente al otro hombre. Kayden lo había llevado a una sala de estar en el mismo piso, con grandes ventanales por donde entraba la gris luminosidad invernal. Sentado en un cómodo sofá, con una taza de café en las manos, él le relató las circunstancias en que se habían conocido en el hospital francés, luego su encuentro en la isla española.

—Así que el enfermero la llamó Chiqui, y a usted doctor Morris — McKey negó con un gesto de la cabeza. Se había recuperado de la sorpresa, pero seguía impactado.

—Así es. En realidad, Morris es mi segundo nombre, pero muchos asumen que es mi apellido. Yo no puedo pedirle a todo el personal hospitalario que me tutee, pero entre jóvenes, a veces mi título me parece pomposo —se encogió ligeramente de hombros—. Así que le pedí a Chiqui, ahí mismo, que me llamara Alan. Me gustó su hija, nadie puede dejar de notar que es hermosa... Pero pensaba que era un encuentro pasajero, no me imaginaba que volvería a verla tan pronto...

Se quedó con la mirada perdida en el vacío, y el padre de la joven respetó su momento de recogimiento.

—Nos volvimos a encontrar un par de días después, en la recepción de su hotel en Las Palmas, y pasamos casi dos semanas dando vueltas por la isla —siguió resumiendo el joven, decidido a no compartir muchos detalles íntimos. Aunque tampoco hacía falta. Kayden McKey no había nacido el día anterior, y él había dicho de entrada que estaba locamente enamorado. Y aquellos gestos tan íntimos que él había tenido con su hija hablaban por sí solos...

—Yo nunca llegué a imaginarme que Chiqui era la joven que se negaba a dejarse operar, y ella tampoco sospechó que yo era el médico que usted había consultado para una posible cirugía.

—Alan y Chiqui... —McKey no podía creerlo aún— ¿Y el Álvarez de dónde salió? Era el apellido de mi esposa, pero no entiendo por qué Eyre no se dio a conocer en el hotel.

—Creo que precisamente lo hizo para que no le dieran un trato preferencial Obviamente la recepcionista leyó su apellido en el pasaporte, cuando la registró. Pero está claro que no la asoció con usted. —Alan se acordó de algo e hizo una mueca— ¡Y pensar que hubiese podido poner a aquel cretino en su lugar!

—¿Cuál cretino?

—Al gerente del hotel, señor McKey. Un asno engreído que casi le prohíbe el ingreso a Chiqui. Y no era por falta de espacio, como intentó hacerle creer. Aquella misma mañana había terminado un congreso, o algo parecido que había ahí cerca, y docenas de personas se despidieron. Me consta porque yo estaba en el hall, esperando que escampara.

—Independientemente de que la persona en cuestión sea mi hija ¿Por qué querían rechazarla? ¡Eyre no tiene precisamente pinta de mendiga! —McKey no podía creer lo que estaba oyendo.

—Llegó empapada por la lluvia, fue obvio que no le gustó su aspecto.

El hombre apretó los labios, pero contuvo su rabia.

—Tendré que investigar esto.

—Y no solo esto, señor McKey. Hay algo más grave aún...

Y le contó del malestar padecido por la muchacha y la falta de asistencia médica.

—¡Dios mío, pero esto es muy grave! ¡Debo tomar medidas de inmediato! — El hombre estaba horrorizado. Se levantó y comenzó a pasear por la habitación, consternado—. Todos mis hoteles cuentan con dos médicos, que se turnan para que siempre haya quien pueda asistir una emergencia. Desde un tiempo a esta parte, el hotel de Las Palmas marcha como un reloj. Los administradores me han dicho que los ingresos han aumentado. Pero no me imaginaba que fuera a expensas de la calidad del servicio. ¡Este gerente sabrá quién soy yo!

McKey apretó los labios, luego su mirada iracunda se centró en el rostro del joven. En él vio las ojeras, el cansancio y la ansiedad reflejadas. Su expresión se dulcificó.

—Me dijiste que estás enamorado de mi hija —le dijo pasando a tutearlo.

—Lo estoy. Como nunca pensé que llegaría a estarlo, señor McKey —confesó el joven con voz ronca.

—Kayden. Por favor, llámame por mi nombre. Y... ¿Es mi impresión o no pareces muy feliz por el hecho de amarla?

— ¡No me malinterprete, Kayden! —Pidió— ¡Claro que amarla me hace feliz! Pero comprendí mis sentimientos cuando ella desapareció de Las Palmas. Nunca hablamos de amor y   no sé lo que Chiqui siente por mí.

—Mi hija te ama, Alan.

El joven lo miró sorprendido.

—¿Cómo puede afirmarlo? Acaso... ¿Ella le dijo algo que le hizo entender...?

—Yo me preguntaba qué la había decidido a hacerse operar, después de negarse tan rotundamente —reflexionó el padre—. Solo una ilusión muy grande pudo empujarla. No me explicó mucho, es más, me pidió que no le preguntara. La notaba deprimida, nerviosa. La pillé varias veces llorando en silencio... Me imaginaba que sería el deseo de seguir pintando, pero ahora comprendo... Además ¿No escuchaste lo que dijo hace un rato, cuando despertó?

—Me reconoció —sonrió él—. Dijo mi nombre y... Algo más que no entendí.

—Dijo Alan, amor mío.

—¿Qué? —Alan levantó de golpe la cabeza, mirando al otro hombre con los ojos muy abiertos.

—Yo estaba arrodillado en la cama con la cara a pocos centímetros de la de mi hija ¿Recuerdas? Bien, creí haber escuchado mal, pero en vista de lo que me dices... No, no creo que me equivoque.

Selma tocó la puerta en aquel momento, y sin esperar respuesta abrió y asomó la cabeza.

—¡De nuevo despertó y lo llama a usted! —le dijo a Alan con mirada brillante.

Un minuto después estaban todos de nuevo alrededor de la cama de la muchacha.

Alan se sentó en el borde de la misma y le tomó las manos.

Chiqui abrió los ojos. Su mirada era más clara, más firme que hacía un rato, la paseó por su labios, los ojos, como queriendo asegurarse que de verdad era él.

—Alan, amor, creí... Que todavía estaba soñando. —murmuró sonriendo.

—No, aquí estoy —murmuró él sintiendo como las lágrimas desbordaban de sus ojos—. Nunca me alejaré de tu lado, vida mía.

—Te escuchaba Alan... Todo el tiempo... Cada una de tus palabras, de tus promesas, y pienso utilizarlas en tu contra, más adelante.

Él se aclaró la garganta antes de contestar.

—Sí, mi amor... No me importará.

—No te apresure a aceptar... Te expones a que te esclavice.

—Es que yo quiero, que me esclavices, que me sometas, lo que tú desees, mientras me permitas quedarme a tu lado, mientras pueda amanecer cada día contigo.

Chiqui sonrió ampliamente.

—¿Trato hecho... doctor Alan Morris?

—Trato hecho, señorita Eyre McKey. Mi Chiqui...

FIN

Milton Keynes UK
Ingram Content Group UK Ltd.
UKHW020702220923
429186UK00014B/611

9 798210 965110